Klose • UNTERNEHMERETHIK

W9-DFH-851

LaVern J. Rippley
Editor SGAS Newsletter
St. Olaf College
Northfield, MN 55057

Alfred Klose

UNTERNEHMER ETHIK

Heute gefragt?

Band 3

Soziale Perspektiven

VERITAS

Reihe: Soziale Perspektiven

Herausgeber: Otto Kimminich
            Alfred Klose
            Valentin Zsifkovits
Redaktion: Valentin Zsifkovits, Leopold Neuhold

Rand 1: Valentin Zsifkovits, Ethik des Friedens
Band 2: Otto Kimminich, Umweltschutz — Prüfstein
        der Rechtsstaatlichkeit
Band 3: Alfred Klose, Unternehmerethik

In Vorbereitung für Herbst 1988:

Band 4: Leopold Neuhold, Wertwandel und Christentum

CIP-Titelaufnahme der Deutschen Bibliothek

Klose, Alfred:
Unternehmerethik: [heute gefragt?] / Alfred Klose. —
1. Aufl. — Linz: Veritas, 1988
(Soziale Perspektiven; Bd. 3)

ISBN 3-85329-638-6
NE: GT

© VERITAS-Verlag Linz; alle Rechte vorbehalten
Gedruckt in Österreich; 1. Auflage / 88
Gesamtherstellung: LANDESVERLAG Ges.m.b.H. Linz

ISBN 3-85329-638-6

Inhalt

Vorwort 9

1 *Unternehmerethik — heute gefragt?* 11
1.1 Zur Unternehmerfunktion 11
1.2 Unternehmerethik als Entscheidungshilfe? 13
1.3 Unternehmerethik nur Standesmoral? 16

2 *Wirtschaftsordnung und Unternehmerethik* 19
2.1 Ordnungsfragen — heute immer aktueller! 19
2.2 Vorrang für den Eigenunternehmer 21
2.3 Wirtschaftsordnung der geordneten Freiheit 22

3 *Die geistig-ideologische Begründung der Unternehmerethik* 25
3.1 Utilitarismus als Ausgangslage 25
3.2 Pragmatismus und Unternehmerentscheidung 27
3.3 Liberale Ethik 29
3.4 Versuch einer Zusammenfassung der geistigen Grundlagen der Unternehmerethik 31

4 *Die Chance des Unternehmers* 34
4.1 Sachzwänge gegen Dynamik? 34
4.2 Bewältigung von Entscheidungssituationen 35
4.3 Gewinnung von Entscheidungshilfen 37
4.4 Berufsethos des Unternehmers 39

5 *Politisch-soziale Ordnung und Unternehmerethik* ... 42
5.1 Grundlegung 42
5.2 Das Subsidiaritätsprinzip 43
5.3 Die offene Gesellschaft 44

5.4 Stabilität des politischen Systems 45
5.5 Das Solidaritätsprinzip 50

6 *Perspektiven der Unternehmerethik* 53
6.1 Das Grundsatzproblem 53
6.2 Existenzsicherung 54
6.3 Fairness im Wettbewerb 62
6.4 Kreativität als Chance und Verpflichtung 66
6.5 „Neue" Ethik 69
6.6 Die Investition als zentrale unternehmerische
    Entscheidung 77
6.7 Der Unternehmer und seine Mitarbeiter 79
6.8 Bildungs- und kulturpolitische Herausforderungen ... 89
6.9 Zusammenhänge zur Konsumethik 96

7 *Unternehmerethik als gemeinsame Verantwortung*... 101
7.1 Der Unternehmer als Verbandsfunktionär 101
7.2 Unternehmerorganisationen als Mittel eines
    gesellschaftlichen Ausgleichs 105
7.3 Um eine Dezentralisierung der Macht 110

8 *Der Unternehmer und die Politik* 113
8.1 Engagement als Politiker 113
8.2 Ein wichtiger Bereich — die Kommunalpolitik 114
8.3 Unruhe in die Politik bringen? 116
8.4 Politische Entscheidungen und wirtschaftliche
    Sachgesetzlichkeit 118
8.5 Einer politischen Sachgesetzlichkeit unterworfen? ... 119
8.6 Unternehmerethik im internationalen Bereich 124

9   *Zusammenfassung und Schlußfolgerungen* 128
9.1 Die Unternehmerethik im System der Ethik 128
9.2 Die Entscheidungssituation im Mittelpunkt der
    Unternehmerethik 130
9.3 Die Unternehmerpersönlichkeit 131
9.4 In gesellschaftlicher Verbundenheit 133
9.5 Die Wirtschaft — ein Kultursachbereich 134

Anmerkungen 136

Literaturverzeichnis 143

Sachverzeichnis 148

Vorwort

In den letzten Jahren hat das Interesse an ethischen Problemen deutlich zugenommen, vor allem bei jüngeren Menschen. Dies mag mit manchen Herausforderungen in unserer Zeit zusammenhängen, die viele Menschen bewegen, so die Friedens- und die Umweltproblematik. Aber auch in der Wirtschaft stehen Ordnungsfragen zur Diskussion, die auch aus der Sicht der Ethik bedeutsam sind.

Die vorliegende „Unternehmerethik" soll dazu beitragen, dieses Interesse an wirtschaftsethischen Fragen zu intensivieren und neue Auseinandersetzungen anzuregen. Das Buch stellt nicht nur das Ergebnis wissenschaftlicher Bemühungen dar, sondern ist auch auf die Begegnung mit sehr vielen Unternehmern und Managern während einer langjährigen beruflichen Tätigkeit in der österreichischen Handelskammerorganisation zurückzuführen. Viele Gespräche mit Unternehmern haben immer wieder gezeigt, daß neben Wirtschaftspolitik und Wirtschaftsrecht auch die Wirtschaftsethik für jeden, der sich um die Zusammenschau in der so komplexen Wirtschaftsgesellschaft unserer Zeit bemüht, überaus wichtig ist. Es zeigt sich auch, daß ethische Motive in der Unternehmerentscheidung doch eine größere Rolle spielen, als einer breiteren Öffentlichkeit bewußt ist.

Für Mitwirkung bei den Korrekturen und beim Fahnenlesen danke ich meiner Tochter Roswitha.

Wien, im Jänner 1988   *Alfred Klose*

1 Unternehmerethik — heute gefragt?

1.1 Zur Unternehmerfunktion

In unserer Wirtschaftsgesellschaft ist der Unternehmer zu einer bedeutsamen Schlüsselfigur geworden. Dies wird besonders deutlich, wenn wir die marktwirtschaftlichen Systeme mit jenen Ländern vergleichen, die über ein mehr planwirtschaftliches Wirtschaftssystem verfügen, oder aber auch mit vielen Entwicklungsländern. Der augenfälligste Unterschied besteht darin, daß die mehr auf das Ordnungsprinzip des Wettbewerbes begründeten Volkswirtschaften über dynamische Unternehmer verfügen, die in der Lage sind, eine bestmögliche Versorgung der Bevölkerung mit Gütern und Dienstleistungen zu gewährleisten. Dem steht die Mangelsituation der planwirtschaftlich organisierten Volkswirtschaften gegenüber, aber auch die weitgehend durch enorme Fehlentwicklungen gekennzeichnete Wirtschaftssituation der meisten Entwicklungsstaaten. Dort fehlt es gewiß meist auch an Kapital, mehr noch vielfach an Unternehmern. Die Probleme jener Länder können nur gelöst werden, wenn es gelingt, dynamische Unternehmerpersönlichkeiten heranzubilden. Dies wird bei den sogenannten Schwellenländern deutlich, die eine Industrialisierung und einen Anschluß an den Welthandel in größerem Ausmaß gefunden haben. Die Erfolge einer Reihe früherer Entwicklungsländer wie Taiwan, Singapur, Malaysia und Südkorea stellen in diesem Sinn eindrucksvolle Beispiele dar.

Clemens August Andreae kennzeichnet den Unternehmer als einen, der „nicht nur auf die sich veränderten Umstände reagiert, sondern aktiv die Initiative in die Hand nimmt". In diesem Sinn sind ganz allgemein Leistungsdrang, Entschlußkraft, schöpferische Aktivität und die Bereitschaft, Risiko auf sich zu nehmen, Eigenschaften eines unternehmerischen Menschen — in diesem Sinn eines weiten Begriffes des Unternehmers. So erscheint der Unternehmer als Gegenbild eines „betreuten" Menschen.[1]

Auch das Grundsatzprogramm der österreichischen Handelskammerorganisation geht vom unternehmerischen Menschen aus und stellt den Unternehmer der Marktwirtschaft als eine besondere Ausprägung dieses Menschentyps heraus.

Die Bereitschaft, Erfolge zu erzielen, „aber auch für die Mißerfolge des eigenen Handelns einzustehen", sei ein Hauptmerkmal. Risikofreude, Leistungsbereitschaft, Phantasie und Unternehmungslust zeichnen ihn nach diesem Grundsatzprogramm ebenso aus wie die „Abneigung gegenüber einer von außen geplanten Existenz". Damit wird deutlich, wie sehr das Freiheitsprinzip als Ordnungsgrundsatz der Gesellschaft in einer unternehmerischen Wirtschaftsgesellschaft hervortreten muß. Ausdrücklich wird im Grundsatzprogramm der österreichischen Handelskammerorganisation hervorgehoben, daß diese erwähnten Eigenschaften nicht nur bei den selbständigen Unternehmern gegeben sind, sondern auch bei den Managern und vielen Angestellten, denen entsprechende Führungspositionen zukommen.[2]

Wir finden auch immer wieder Stellungnahmen bedeutender Unternehmer, aus denen wir ein deutlicheres Bild der Bedeutung der Unternehmerfunktion für die Gesellschaft gewinnen können. *Hermann J. Abs,* eine bekannte unternehmerische Führungspersönlichkeit, weist darauf hin, daß die Leistung des einzelnen Unternehmers für die Wirtschaftsgesellschaft nicht nur im eigenen Angebot von Waren und Dienstleistungen begründet ist, sondern auch in allen Aufwendungen für Rohstoffe, Zulieferungen und Leistungen anderer; dadurch werden andere Betriebe und deren Mitarbeiter beschäftigt.[3]

Kennzeichnend für den Unternehmer ist die Notwendigkeit, sich immer neuen Entscheidungssituationen zu stellen. Das unternehmerische Handeln wird nicht nur für die Unternehmer selbst, sondern auch für ihre Mitarbeiter und viele andere Menschen bedeutsam. Gesamtwirtschaftlich gesehen hängt die wirtschaftliche und soziale Entwicklung eines Landes sehr weitgehend davon ab, daß diese unternehmerischen Entscheidungen im Bereich der Produktion, des Dienstleistungssektors, der Investition und vieler Formen der Kooperation bestmöglich erfolgen. So stellt sich die Frage nach den Kriterien für diese so wichtigen unternehmerischen Entscheidungen.

1.2 Unternehmerethik als Entscheidungshilfe?

Entscheiden die Unternehmer nur nach ökonomischen Motiven, vor allem nach den Zielsetzungen, die sich aus dem Gewinnstreben ableiten lassen? Wer die Praxis unternehmerischen Handelns kennt, weiß um die Notwendigkeit, sehr unterschiedliche Motive sowohl des Handelns des Unternehmers wie der anderen am Wirtschaftsprozeß mitwirkenden Menschen zu suchen. Wie für jeden in einer komplexen und komplizierten Gesellschaft wirkenden Menschen ist auch für den Unternehmer zunächst einzuräumen, daß sich manche Sachzwänge ergeben, die den unternehmerischen Entscheidungsspielraum einengen. Die staatliche Gesetzgebung kennt schon bei der Begründung einer selbständigen unternehmerischen Existenz mehr oder minder schwer zu überwindende Antrittsvoraussetzungen, Befähigungsnachweise und da und dort auch Konzessionssysteme, Bewilligungen und anderes mehr. Die Unterschiede in der Gewerbegesetzgebung sind allerdings auch innerhalb der Gruppe der mehr marktwirtschaftlich geordneten Länder beträchtlich.
Sehr weitreichende Sachzwänge ergeben sich aber aus der Steuergesetzgebung, nicht zuletzt durch die staatliche Sozialpolitik. Dazu kommt die auch sehr unterschiedliche Wettbewerbsgesetz-

gebung der einzelnen Staaten. Vor allem aber wirken die tatsächlichen wirtschaftlichen Verhältnisse, die Wirtschafts- und Sozialstruktur eines Landes, die bildungsmäßigen Voraussetzungen einer Region, in der der einzelne Unternehmer seine wirtschaftliche Tätigkeit ausübt. Gewiß kann je nach Fähigkeit manche dieser Voraussetzungen einer unternehmerischen Tätigkeit verändert werden.

Immer aber wirken die Unternehmer wie alle anderen Menschen innerhalb eines gegebenen Entscheidungsrahmens: Daß dieser aber durch aktives und initiatives unternehmerisches Handeln verändert werden kann, macht nicht zuletzt das Wesen der Unternehmerfunktion aus.

Kann nun der Unternehmer in einer vom technischen Fortschritt und vielen anderen Sachzwängen bestimmten Wirtschaftsgesellschaft auch ethische Motive seinen Entscheidungen zugrunde legen? Grundsätzlich wird der Unternehmer im Bereich seines freibleibenden Entscheidungsspielraumes vor allem nach rationalen Motiven, bezogen auf die unmittelbaren Ziele seines Unternehmens, entscheiden, also vor allem nach dem Gewinnprinzip. Erfahrene Unternehmer berichten aber, daß ethisch relevante Entscheidungen immer wieder erforderlich sind. Es ist zunächst ein Kennzeichen jedes ethisch motivierten Handelns, daß eine längerfristige Perspektive dabei hervortritt. Wenn etwa ein Unternehmer nach kurzfristigen rationalen Überlegungen einen Zweigbetrieb seines Unternehmens schließen müßte, mögen ethisch motivierte Überlegungen maßgebend sein, wenn ein gewisses Risiko eingegangen wird, um eine Überlebensmöglichkeit des fraglichen Betriebes zu prüfen, ohne daß damit freilich die Existenz des gesamten Unternehmens in Frage stehen darf. Rücksicht auf langjährige Mitarbeiter, die drohende Arbeitslosigkeit etwa in einem strukturschwachen Gebiet mag manche Unternehmer zu solchen mehr ethisch motivierten Entscheidungen veranlassen.

Das eigentliche Problem sind aber nicht solche Entscheidungen,

14

in denen ethische Motive zu einer gewissen Korrektur rational bedingter ökonomischer Entscheidungen führen. Es stellt sich vielmehr die Frage, ob nicht jeder Unternehmer ethisch relevante Entscheidungen treffen muß. An sich stellen sich in jedem menschlichen Leben Entscheidungssituationen, die nur aus Gewissenseinsicht bewältigt werden können, in denen das persönliche Gewissen die letzte Instanz ist. *Erwin Ringel* sagt dazu, daß sich einmalige Möglichkeiten, besondere Situationen für den einzelnen Menschen ergeben, die von niemand anderem wahrgenommen werden können. Das sei der Ruf, der an uns ergehe. Gerade beim Unternehmer gewinnt man immer wieder den Eindruck, daß er besondere Chancen wahrnimmt, die kein anderer hat. Die enorme Vielfalt der Betriebe, die großen Unterschiede innerhalb der einzelnen Wirtschaftszweige und zwischen diesen, die Vielfalt des unternehmerischen Handelns, das alles macht die These von *Erwin Ringel* für eine Unternehmerethik so sinnvoll.[4]

Die letzte Begründung für eine Unternehmerethik liegt darin, daß jeder Mensch für sein Handeln vor seinem Gewissen verantwortlich ist.

Nun erhebt sich freilich die Frage, ob für den Unternehmer nicht wie für jeden anderen Menschen die allgemeine Ethik als Lehre vom rechten Handeln aus Gewissenseinsicht genügt, oder ob es wirklich einer eigenen Unternehmerethik als Entscheidungshilfe bedarf.

Es ist die besondere und für die Gesellschaft so wichtige Entscheidungssituation des Unternehmers, die eine Unternehmerethik rechtfertigt.

So wie es eine ärztliche Ethik gibt und diese nach dem Urteil angesehener Ärzte gleichfalls aus den besonderen Entscheidungssituationen des Arztes verständlich wird, gibt es auch für die besonderen Anforderungen an ein ethisch motiviertes Handeln der Unternehmer eine Unternehmerethik.

Zur ärztlichen Ethik ein Beispiel: Der angesehene Wiener Internist

Univ.-Prof. Dr. *Felix Mlczoch* etwa weist darauf hin, daß sich besondere Entscheidungssituationen in der Frage des ungeborenen Lebens ergeben. Hier komme zu den allgemein gültigen Normen der Ethik die Notwendigkeit, auch die Situation der betroffenen Mutter zu sehen, woraus sich gewisse Prioritäten in der Wertordnung ergeben, ohne daß damit die sehr entscheidende Grundsatznorm des Schutzes des ungeborenen Lebens in Frage gestellt werden dürfe.[5]

So können sich für den Unternehmer Entscheidungssituationen ergeben, wo er im Interesse der Erhaltung des gesamten Unternehmens auch Entscheidungen treffen muß, die für ihn schwere Gewissensbelastungen bedeuten, etwa die Kündigung langjähriger Mitarbeiter.

Gerade für den Unternehmer bedeutet Eigenverantwortung ein entscheidendes Ordnungsprinzip für sein persönliches Handeln. *Johannes Messner,* der große Sozialphilosoph, sagt dazu, daß die Erfüllung der persönlichen Lebenszwecke Sache der Eigenverantwortung der Menschen sei, deren sittliches Wesen den einzelnen eben zur „Persönlichkeit mit Ansprüchen auf unverletzbare und unverzichtbare Eigenzuständigkeiten und Eigenrechte" mache.[6]

Für den Unternehmer geht es zunächst um die Lebensentscheidung, diesen verantwortungsvollen Beruf zu ergreifen: Darin liegt eine erste Entscheidung, die ihrem Wesen nach ethisch motiviert ist, so sehr auch rationale Überlegungen, die Chance auf Einkommen höherer Art und anderes mitwirken mögen.

1.3 Unternehmerethik nur Standesmoral?

Ist Unternehmerethik nur eine Art von Standesmoral? Es wäre offensichtlich zu eng gesehen, würde man in der Unternehmerethik nur die Vermittlung von moralischen Normen für unternehmerisches Handeln sehen, sozusagen eine Art berufsbezogener „Stan-

16

deslehre". Es sind existentielle Fragen, die mit vielen unternehmerischen Entscheidungen verbunden sind: Fragen, die die persönliche Existenz des Unternehmers ebenso betreffen wie die anderer Menschen, so insbesondere der Mitarbeiter im Unternehmen. Gerade der Sozialethiker weiß um die geistige Hochleistung jener weitreichenden Vorausplanung, die für die Unternehmertätigkeit kennzeichnend ist. So umschreibt *Johannes Messner* die spezifische Unternehmerfunktion mit der „Eröffnung neuer Möglichkeiten volkswirtschaftlichen Fortschritts und Wachstums mit der Folge der Erhöhung des allgemeinen Lebensstandards".[7] Es verbinden sich Gewinnstreben, Einkommensinteressen, die Freude an geistig-schöpferischer Tätigkeit, Wagnisbereitschaft, gewiß auch Machtstreben und organisatorische Fähigkeiten zu einem Ganzen des unternehmerischen Menschen: Sein Handeln kann angesichts dieser Fülle von Motivationen nicht allein aus ökonomisch-rationaler Einsicht bewältigt und bestimmt werden. Es ist der schöpferische Mensch, der sich seiner existentiellen Lebenszwecke immer bewußt wird, der Bedeutung seiner Entscheidungen für sich und andere.

Diese gemeinwohlorientierte Seite des unternehmerischen Handelns ist keine Erkenntnis unserer Zeit. Der große Zeitgenosse *Goethes, Johann Heinrich Jung-Stilling,* Philosoph, Theologe, Mediziner, vielseitiger Schriftsteller — kurz einer der großen Polyhistoren seiner Zeit — hat selbst zunächst eine handwerkliche Ausbildung im Schneidergewerbe durchgemacht, war auch als Manager in einem Industriebetrieb tätig. Dieser *Jung-Stilling* hat Ansätze zu einer Unternehmerethik entwickelt, vor allem für den Handwerkstand: Er hat unter anderem darauf verwiesen, daß einwandfreie Lebensführung und Mäßigkeit für den Handwerksmeister wichtig seien, dies als Vorbild für seine Gesellen und Lehrlinge. Grundsätzlich ist *Jung-Stilling* von der Voraussetzung ausgegangen, daß ein Land, das an Wirtschaftsressourcen („Produkten") arm sei, „Handlungs-Genies" (also dynamische Unternehmer) hervorbringen müsse, die „mit unaufhaltbarer Kraft, Mühe und Fleiß Fabriken errichten". Als Beispiel verwies *Jung-Stilling* auf das Herzogtum Berg, das durch „eben solche Kaufmanns- oder Handlungs-Genies zu dem höchsten Flor gestiegen" sei.[8] *Unternehmerethik* im normativen Sinn wird so zu einer *Lehre vom rechten Handeln und Entscheiden des Unternehmers in existentiellen Fragen,* in denen eine Orientierung an ökonomisch-rationalen Motiven nicht ausreicht. Ethik ist, wie erwähnt wurde, mehr als etwa Ästhetik langfristig orientiert und will die Folgen eines Handelns, einer Entscheidung über längere Zeiträume berücksichtigen. Ethik sieht aber auch immer den Gesamtzusammenhang. Ästhetische Fragen mögen mehr augenblicksorientiert lösbar sein, auch mehr aus dem Zusammenhang losgelöst werden: etwa in der Beurteilung eines konkreten Kunstwerkes. Ethik ist dagegen immer auf solche Zusammenhänge in zeitlicher oder anderer Hinsicht hingeordnet, vor allem auch auf zwischenmenschliche Beziehungen, auf gesellschaftlich bedingte Verflechtungen und Gegebenheiten. So gesehen ist gerade auch die Unternehmerethik ein besonderer Bereich der Verantwortungsethik — bedingt durch die Bedeutung unternehmerischer Entscheidungen auch für die Gesellschaft.

2 Wirtschaftsordnung und Unternehmerethik

2.1 Ordnungsfragen — heute immer aktueller!

In unserer Zeit kommt den ordnungspolitischen Auseinandersetzungen wieder größere Bedeutung zu. Der in der Zeit seit dem Zweiten Weltkrieg stärker hervorgetretene Dirigismus, die wirtschaftlichen Rückschläge in vielen Staaten nach langer Zeit eines wirtschaftlichen Booms haben die Frage einer zukunftsweisenden Wirtschaftsordnung wieder mehr hervortreten lassen. Unmittelbar nach dem Zweiten Weltkrieg ist vor allem in einigen europäischen Staaten, so auch in der neugegründeten Bundesrepublik Deutschland und in Österreich nach Überwindung der ersten nachkriegsbedingten Schwierigkeiten ein marktwirtschaftlicher Kurs hervorgetreten: Die Konzeption der Sozialen Marktwirtschaft hat in der Bundesrepublik unter der Regierung *Adenauer,* vor allem im Kreis um den Wirtschaftsminister und späteren Kanzler *Ludwig Erhard,* so durch die Persönlichkeiten *Alfred Müller-Armack* und *Walter Eucken* weitreichende Folgewirkungen gehabt. In Österreich war es der *Raab-Kamitz-Kurs,* der zu einer Überwindung des Nachkriegsdirigismus maßgebend beigetragen hat.

Heute stellen sich die Ordnungsfragen wieder besonders nachdrücklich: Die Zunahme der Arbeitslosigkeit, unbewältigte Strukturprobleme, weitreichende Staatsverschuldung und die Notwendigkeit einer langfristigen Konzeption in der Wirtschafts- und Sozialpolitik machen klare Ordnungsgrundsätze in den Volkswirtschaften mehr denn je erforderlich.

Dabei geht es vor allem darum, in einer Wirtschaftsgesellschaft, in der zu wenig leistungsbedingte Anreize wirken, mehr Motivationen aus dem Gewinn- und Erfolgsstreben zu ermöglichen. Einfach ausgedrückt, braucht die moderne Volkswirtschaft, die alle die genannten Probleme bewältigen soll, möglichst viele dynamische Unternehmer: Es geht aber auch darum, eben diesen Unternehmern jenen Handlungsspielraum zu schaffen, den eine dirigistische und interventionistische Politik sozialistischer Versorgungsstaatssysteme ausgehöhlt hat.

Im Grundsatzprogramm der österreichischen Handelskammerorganisation wird das Gewinn- und Erfolgsstreben die wichtigste Antriebskraft des wirtschaftlichen Verhaltens genannt. Es wird eine Gesellschaftsordnung angestrebt, deren Bausteine Lernfähigkeit, Informationsbereitschaft, Kreativität, Leistung und Initiative sein sollen. Ein funktionsfähiger Wettbewerb soll unternehmerische Impulse auslösen. Dieser Wettbewerb muß gestaltet werden: Wettbewerbspolitik wird so zu einem entscheidenden Teilbereich einer zukunftsweisenden Wirtschaftspolitik: Gleiche Wettbewerbs- und Startbedingungen müssen gegeben sein.[9]

Nun geht es dabei nicht nur um ökonomische Fragen, sondern letztlich um die Gesellschaftsordnung: Wirtschaftsordnung ist deren integrierender Bestandteil. Ethisch relevante Fragen stehen hier zur Diskussion: Die Notwendigkeit, eine Vielzahl dynamischer Unternehmer wirken zu lassen, zeigt auch Zusammenhänge aus Einsichten auf, die von der Unternehmerethik her ableitbar sind. *Johannes Messner* hat die Zusammenhänge aufgezeigt, die zwischen einer freiheitlich orientierten Gesellschaftsordnung und einer ausreichenden Zahl dynamischer Unternehmer gegeben sind. Der Unternehmerleistung komme entscheidende Bedeutung im schöpferischen Entwicklungsprozeß der Gesellschaft zu: Insbesondere hängt das Wirtschaftswachstum entscheidend von der Unternehmerleistung ab, sagt *Messner;* dabei sei an die großen bahnbrechenden Unternehmerpersönlichkeiten in ununterbrochener Folge seit der Zeit der *Fugger* und vieler anderer seit dem Frühkapitalismus bis auf den heutigen Tag zu denken, aber auch an die vielen Eigenunternehmer im mittelständischen Bereich, „ohne die der Strom der wirtschaftlichen Entwicklung nicht die Breite und den Tiefgang hätte erreichen können, denen das Wirtschaftspotential der modernen freiheitlichen Gesellschaft zu danken ist".[10]

2.2 Vorrang für den Eigenunternehmer

Messner hat diese Gedanken in den Mittelpunkt seiner Überlegungen zu einer Unternehmerethik gestellt: Es ist der Eigenunternehmer, dem seine besondere Aufmerksamkeit und Wertschätzung gegolten hat, ohne daß ihm die Bedeutung des Managertums für die moderne Wirtschaftsgesellschaft entgangen ist.
Es zeigt sich aber, daß etwa Manager in einer sozialistischen Wirtschaftsordnung unter der Vorherrschaft von Gemeineigentum nicht in der Lage sind, eine ausreichende Deckung des wirtschaftlichen Bedarfs zu erzielen, wie die Erfahrungen der Oststaaten zeigen. Es geht darum, dem Eigenunternehmer und dem Privateigentum an den Produktionsmitteln eine entscheidende Bedeutung zu geben, eine Vorrangstellung, wenn optimale Produktionsbedingungen erreicht werden sollen, wenn damit aber auch wesentliche Voraussetzungen für eine freiheitliche Wirtschafts- und Gesellschaftsordnung gesetzt werden sollen. In diesem Sinn ergeben sich deutliche Zusammenhänge zwischen Wirtschaftsordnung und Grundeinsichten der Unternehmerethik.

Nicht nur für den Unternehmer, sondern ganz allgemein wird in der Chance, Eigentum erwerben zu können, eine wichtige Möglichkeit zur Verwirklichung menschlicher Freiheit gesehen. Es sind die existentiellen Lebenszwecke, deren Erfüllung in mancher Hinsicht wesentlich erleichtert wird, wenn Privateigentum in ausreichendem Umfang erworben werden kann. Für die unternehmerische Leistung ist Privateigentum an den Produktionsmitteln überaus wichtig. Durch Privateigentum wird der Freiheitsraum des einzelnen gestärkt und erweitert, die persönliche Unabhängigkeit gefestigt. Eine funktionsfähige Marktwirtschaft braucht neben tüchtigen Managern im großbetrieblichen Bereich eine Vielzahl von Eigenunternehmern in allen Wirtschaftsbereichen und Branchen.

2.3 Wirtschaftsordnung der geordneten Freiheit

Es geht um eine Wirtschaftsordnung der geordneten Freiheit: Damit ist ein marktwirtschaftliches System gemeint, das ausreichenden Wettbewerb, gesichert durch eine sinnvolle Wettbewerbsgesetzgebung und Unternehmerinitiative einschließt, aber gewiß auch jene sozialen Sicherungen, die mit dem System der sozialen Marktwirtschaft verbunden sind. Es geht dabei freilich auch um eine Weiterentwicklung der ordnungspolitischen Ziele: Zu den traditionellen wirtschaftspolitischen Grundzielen der Geldwertstabilität, des wirtschaftlichen Wachstums und der Vollbeschäftigung (beziehungsweise noch der ausgeglichenen Zahlungsbilanz und der gerechten Einkommensverteilung) kommt das in unserer Zeit so wichtige Ziel der Erhaltung einer lebenswerten Umwelt. Gerade hier kann der Unternehmer Entscheidendes beitragen, dies gewiß nicht nur aus ökonomisch-rationaler Einsicht, sondern aus der Gewissensverantwortung heraus, aus jenem Langzeitdenken, das wieder für die Unternehmerethik kennzeichnend ist. Diese Wirtschaftsordnung einer geordneten Freiheit wendet sich auch gegen jene expansionistischen Bestrebungen des staatlich-bürokratischen Systems, die mit einer weitreichenden Begrenzung der Unternehmerinitiative verbunden sind. Aus der Sicht einer Unternehmerethik geht es um einen optimalen Handlungsspielraum für die unternehmerischen Entscheidungen. Vor allem sind Beschränkungen wichtiger Grund- und Freiheitsrechte abzulehnen, wie etwa eine zu weitgehende Regulierung der Antrittsbeschränkungen für Unternehmerberufe durch eine gemeinwohlwidrige Gewerbegesetzgebung. Vielfach gehen solche Regulierungen über echte Bedarfs- oder Leistungsprüfungen weit hinaus. Die Wirtschaftsordnung der geordneten Freiheit braucht eine ausreichende Zahl dynamischer Unternehmer: Sie dürfen nicht durch restriktive Antrittsbegrenzungen an der Ausübung ihres für die Gesellschaft so wichtigen Berufes gehindert werden.

Im Rahmen eines Kongresses der bekannten *Hanns-Martin-Schleyer-Stiftung* in Rom hat *Fernando Suarez Gonzalez* diese These herausgestellt, daß ein Wirtschaftssystem nicht nur nach seiner Fähigkeit, materielle Güter und Dienstleistungen bereitzustellen, zu beurteilen ist, sondern auch danach, wieweit es in der Lage ist, Freiheit und Gerechtigkeit zu verwirklichen.[11] Auch *Wolfgang Schmitz* spricht von der humanitären Alternative einer sozialen Marktwirtschaft, eines Versuches, innerstaatliche Entwicklungsprozesse an eine weltweit wirkende Dynamik marktwirtschaftlicher Ordnungen zu binden.[12] *Johannes Messner* verbindet mit dem Begriff der Wirtschaftsordnung der geordneten Freiheit die Chance einer funktionierenden Wettbewerbswirtschaft zur Erfüllung des Sozialzwecks der Wirtschaft. Dieser Wettbewerb garantiert eben die bestmögliche Verwendung und Nutzung der Wirtschaftsgüter und Arbeitskräfte, weiters der Mobilisierung der Leistungsreserven der am Wirtschaftsprozeß mitwirkenden Menschen, nicht zuletzt der Unternehmer. So verbindet sich auch eine Einschätzung des hohen Wertes unternehmerischer Leistungen und Entscheidungen aus der Sicht der Unternehmerethik mit der Konzeption einer Wirtschaftsordnung der geordneten Freiheit.[13]

Rolf Kramer weist darauf hin, daß in der sozialen Marktwirtschaft die Entwicklung nicht automatisch eintritt, sondern zielgerecht durch die Entscheidungen der handelnden Wirtschaftssubjekte zum Erfolg gebracht werden muß. Welches Ziel erreicht werde, bestimme der Mensch selbst: „Sowohl der, welcher sich an der Gesamtzielsetzung in der Ordnungspolitik beteiligt, wie auch der, welcher durch sein schlüssiges Verhalten am Markt die Entscheidung herbeiführt."[14] In diesem Sinn ist das marktwirtschaftliche System eines mit einer auf die Person bezogenen Verantwortung.

3 Die geistig-ideologische Begründung der Unternehmerethik

3.1 Utilitarismus als Ausgangslage

Unter Utilitarismus versteht man „die Einstellung eines Menschen, der sich in seinem Handeln allein davon leiten läßt, was ihm beim Verfolg eines beliebigen Zwecks mehr von Nutzen ist" *(Bruno Schüller)*. Diese mehr der Umgangssprache entsprechende Deutung ist hier nicht gemeint: *Schüller* umschreibt die philosophischen Theorien, die sich als utilitaristisch bezeichnen, als jene, „nach denen der moralische Charakter einer Handlungsweise durch deren gute und üble Folgen bestimmt wird".[15] Auf jeden Fall trifft es für die Unternehmerethik zu, daß sie vor allem die Folgen unternehmerischer Handlungen und Entscheidungen analysiert, daß sie eben auf die längerfristigen Zusammenhänge abgestellt ist. Letztlich ist es die Sorge um Existenz und Weiterentwicklung des Unternehmens, die zu einem entscheidenden Richtsatz der unternehmerischen Entscheidungen wird.

Utilitarismus dieser Art ist mehr als Berücksichtigung rein materieller Werte wie Gewinnstreben: Er konzentriert sich auf Fragen der existentiellen Sicherung des Unternehmens, der Arbeitsplätze und letztlich auf die Erfüllung der dem einzelnen Unternehmer gegebenen Lebensaufgabe, ist damit auf die Erfüllung der existentiellen Lebenszwecke des Unternehmers abgestellt.

So gesehen ist Utilitarismus in der Unternehmerethik auch teleologisch begründbar, an ihren Zielsetzungen ausgerichtet: Es geht letztlich um Aufgaben der Selbstverwirklichung des Unternehmers, deren Bewältigung auch sittliche Entscheidungen erforderlich macht, nicht nur ökonomisch-rationale.

Der Utilitarismus hat in seiner klassischen Form — ausgehend von

Jeremy Bentham — die Entwicklung der Ethik sehr beinflußt. Es ist das „Selbstinteresse als ethisches Axiom" *(Ulrich Matz)*, das stark individualistische Leitgedanken hervortreten läßt.[16] Gewiß bedeutet, wie *Ulrich Matz* ausführt, seit *Bentham* Interesse in der utilitaristischen Tradition egoistisches Interesse des Individuums. Aber schon *Bentham* ist nicht ganz ohne altruistische Motivationen ausgekommen.[17] Auf jeden Fall kann eine Nutzenmaximierung nicht erreicht werden, wenn nicht ein Zusammenwirken von Individuen in gesellschaftlicher Verbundenheit erfolgt: Es ist letztlich eine zumindest begrenzte Solidaritätsverpflichtung, die bei der Durchsetzung auch noch so individueller Interessen notwendig ist. Dies anerkennt auch jede realistische utilitaristische Theorie. *Ulrich Matz* hält es für entscheidend, ob dieser Altruismus eingebunden bleibt in den egoistischen Kalkül, „durch den die Welt jenseits der Sphäre des Individuums für das egoistische Interesse letztlich doch instrumentalisiert wird".[18]

Man kann es auch einfacher sagen: Unternehmer können in der modernen so komplexen Wirtschaftsgesellschaft nur bestehen, wenn sie sich im harten Wettbewerb behaupten (das bedingt hohe persönliche Leistung), aber auch nur, wenn sie in solidarischer Verbundenheit zur Sicherung bestimmter Zielsetzungen sich vereinigen. Schon die Lohnverhandlungen bedingen die kollektiven Zusammenschlüsse auch der Unternehmer, dazu noch jene vielfältigen Anliegen und Aufgaben, welche heute notwendigerweise nur von schlagkräftigen Unternehmerorganisationen besorgt werden können, so insbesondere auch eine Mitwirkung an den wirtschaftspolitischen Entscheidungen. Gewiß läßt sich auch hier manches auf das egoistische Interesse des einzelnen Unternehmers zurückführen: Der Ordnungsgrundsatz der Solidarität aber bedingt zumindest eine Erweiterung des klassischen Utilitarismus zu einer Art von Sozialutilitarismus, wie ihn *Johannes Messner* immer wieder vertreten hat. Messner stellt in diesem Zusammenhang heraus, daß die Zielsetzung, vom „größten Glück der größten

Zahl" im Sinne *Benthams* auszugehen, zur Begründung einer gemeinwohlorientierten Gesellschaftskonzeption nicht ausreicht.[19] Gewiß läßt sich eine Harmonie der Interessen finden: Diese kann aber nicht von selbst eintreten, sondern bedarf der Ordnungsfunktion des Staates und der Kooperation der großen Interessenorganisationen, wie im Fall der österreichischen Sozialpartnerschaft so deutlich wird.

Das Nutzenprinzip kann so gesehen eine Grundlage einer utilitaristischen Unternehmerethik bedeuten, dies allerdings in Verbindung mit einer Orientierung auch am Solidaritätsprinzip. Der Unternehmer sieht sich auf mehreren Ebenen solidarischen Verpflichtungen gegenüber: nicht nur innerhalb der Unternehmerschaft, sondern auch im Betrieb gegenüber den Mitarbeitern und in verschiedenen Organisationen, in denen der Unternehmer mitwirkt.

3.2 Pragmatismus und Unternehmerentscheidung

Die Vielfalt der unternehmerischen Entscheidungen bringt es mit sich, daß gewisse pragmatische Haltungen im Handlungsfeld des Unternehmers hervortreten. Pragmatismus ist eine Denkweise, wonach weniger die Wahrheit menschlicher Urteile angestrebt wird, sondern mehr die praktischen Folgen einer Entscheidung berücksichtigt werden. In diesem Sinn definiert *Franz Furger* den Pragmatismus nach seiner erkenntnistheoretischen Seite als Auffassung, „daß die Wahrheit menschlicher Urteile nicht durch den betrachtenden Vergleich zwischen Behauptung und Gegenstand zu erkennen sei, sondern indem das Behauptete in seinen praktischen Folgen erprobt bzw. an ihnen überprüft worden sei".[20]

Tatsächlich stehen pragmatische Erwägungen im Mittelpunkt der unternehmerischen Entscheidungsprozesse. Um wieder *Furgers* Umschreibung des ethischen Pragmatismus heranzuziehen: Es kommt bei diesem „lebensempirischen Ansatz" darauf an, das sittlich Gute „als das dem menschlichen Lebensvollzug Nützliche" zu umschreiben.[21] Es ist also eine pragmatisch-utilitaristische Haltung, die zur Maxime unternehmerischer Entscheidungen wird. Unternehmer sind erfolgsorientiert: Das bringt der Wettbewerb ebenso mit sich wie das notwendige Gewinnstreben. Nutzenmaximierung wird zur vorrangigen Entscheidungsmaxime.

Für die Unternehmerethik können wir auch aus einer Situationsethik lernen. Diese umschreibt der polnische Sozialethiker *Helmut Juros* als eine ethische Theorie, welche die Bestimmung des sittlich Guten ausschließlich von der jeweiligen einzigartigen Situation abhängig macht und allgemein gültige Werte und entsprechende Normen leugnet.[22] Wir müssen für die Unternehmerethik nicht so weit gehen: Tatsache ist, daß die Fülle der unternehmerischen Entscheidungssituationen so unermeßlich differenziert ist, daß sich bestimmte Entscheidungssituationen nur aus der konkreten Lage heraus lösen lassen. Vielfach schränkt das politische System eines Landes die unternehmerischen Entscheidungsmöglichkeiten sehr ein: Dann wird der Unternehmer einerseits unter einem gewissen Sachzwang stehen, andererseits die unter den gegebenen Umständen noch optimale Lösung treffen. Als Beispiel sei auf ein vermachtetes Sytem einer Auftragsvergabe der öffentlichen Hand hingewiesen: Dieses macht es in manchen Ländern neu auf den Markt kommenden — insbesondere jungen Unternehmern — oft sehr schwer, öffentliche Aufträge zu bekommen. Sollen sie sich nun etwa unlauterer Methoden bedienen? Gewiß rechtfertigt ein vorhandener Übelstand nicht alle Haltungen und Maßnahmen: Es wird aber in gewisser Hinsicht darauf ankommen, in einer durch Wettbewerbsverzerrungen bestimmten Wirtschaft da und dort härtere Maßnahmen zu setzen, um sich gegen unlautere Konkurrenz und eine übermächtige öffentliche Auftraggeberschaft zur Wehr zu setzen.

Eine realistische ethische Konzeption darf nicht übersehen, daß auch der Unternehmer kein Einzelwesen ist, dessen Handlungsweisen isoliert betrachtet werden können. *Gerhard Merk* stellt fest, daß auch für die Ethik die Wahrheit gelten muß, daß sich der Mensch nie völlig „ver-einzeln" kann, daß er „sich nicht ab-sondern" könne im Alleinsein. Der eine Mensch trete dem anderen nicht als getrenntes, selbständiges Ich gegenüber: Die Grundtatsachen der gesellschaftlichen Verbundenheit, des Einbezogenseins in eine größere gesellschaftliche Einheit gelten auch für die Analyse unternehmerischer Entscheidungsprozesse.[23] Allzusehr hat eine individualistisch-liberale Theorie diese an sich selbstverständlichen Gedankengänge zurücktreten lassen.

3.3 Liberale Ethik

Die Zusammenhänge zur liberalen Ethik, zum ethischen Liberalismus sind dennoch deutlich. Das vorrangige Freiheitsprinzip bestimmt auch das Bild des Unternehmers und seiner Grundhaltungen: Eigeninitiative, Risikobereitschaft, Leistungsorientierung. Unternehmer zielen ganz einfach — auch unter ungünstigen politischen und ordnungspolitischen Verhältnissen — auf möglichst freie Entscheidungen hin. Auch in Planwirtschaften trachten Unternehmer immer wieder, ihre Freiheitsräume auszudehnen. Wenn Liberalismus „eine an der Freiheit von Individuen und Gruppen als oberster Norm orientierte Auffassung von sozialem Verhalten und politischer Organisation" bedeutet,[24] liegt auch der Unternehmerethik in weitem Umfang liberales Denken zugrunde. *Arthur Fridolin Utz* unterscheidet zwischen einem „sozialethischen" Liberalismus und einem „individualethischen": Ersterer will, daß gewisse Normen für jeden einzelnen gelten, letzterer ist der Auffassung, „daß es auch für das Individuum keine vorgeordneten, rational bestimmbaren Normen" gibt.[25]

Folgt man diesem individualethischen Liberalismus, würde eine Unternehmerethik reine Situationsethik sein. Dagegen läßt ein sozialethischer Liberalismus durchaus eine darüber hinausgehende — auch normative — Unternehmerethik als gegeben erscheinen. Unternehmerethik ist nicht nur Persönlichkeitsethik, sondern eben wegen ihrer Bezogenheit auf die Wirtschaftsgesellschaft (und darüber hinaus ganz allgemein auf weite Gesellschaftsbereiche) auch Sozialethik. Wir folgen also der Konzeption eines sozialethischen Liberalismus! Im übrigen geht es dem ethischen Liberalismus wie dem politischen: Dieser ist immer weniger zu einer eigenständigen Bewegung geworden, er manifestiert sich im späten 20. Jahrhundert viel weniger in eigenen politischen Parteien als im 19. Jahrhundert; dennoch wirken politischer Liberalismus, liberales Gedanken- und Ideengut in vielen politischen Parteien und Bewegungen, in den christlich-demokratischen ebenso wie in konservativen anderer Prägung, in sozialdemokratischen und sogar in sozialistischen radikaler Konzeption.

Auch der ethische Liberalismus wirkt mehr als Ideengut in einzelnen ethischen Systemen; so kommt ihm auch für die Unternehmerethik maßgebende Bedeutung zu.

Es ist eine bedeutsame Erkenntnis des Neoliberalismus, daß die marktwirtschaftliche Ordnung nur funktionieren kann, wenn sie durch eine entsprechende Wettbewerbsgesetzgebung abgesichert ist. Wettbewerb ist in diesem Sinn eine „positive staatliche Veranlassung", die im Sinne der neoliberalen Schule, insbesondere von *Walter Eucken,* in seiner Funktionsfähigkeit von der Beachtung konstituierender und regulierender Prinzipien abhängt. *Josef Oelinger* stellt dazu fest, daß der Staat vor allem dann zu Lenkungsmaßnahmen verpflichtet ist, wenn der Markt nicht zu einer funktionsfähigen Ordnung gelangt.[26]

Aus dieser Perspektive heraus wird deutlich, wie sehr die Unternehmerethik mit dem liberalen Gedankengut, vor allem auch im Sinne der neoliberalen Theorie, verbunden ist. Eine funktionsfähige Wettbewerbsordnung garantiert einen größeren Freiheits-raum für den am Markt unter Konkurrenzdruck stehenden Unter-nehmer; diese Wettbewerbsgesetzgebung soll aber vor allem wirt-schaftliche Vermachtungsprozesse verhindern und unlauteren Wettbewerb einschränken oder sogar ausschalten. Damit wird der Handlungs- und Entscheidungsspielraum für den Unternehmer wesentlich erweitert, vor allem aber auch durch einen Ausgleich der Wettbewerbschancen mehr transparent.

3.4 Versuch einer Zusammenfassung der geistigen Grundlagen der Unternehmerethik

Die pragmatisch-utilitaristische Grundlegung, die für die Unter-nehmerethik als kennzeichnend hervorgehoben wurde, verbin-det sich mit dem traditionellen Gedankengut liberaler Prägung, im besonderen einem Ideengut eines sozialethischen Liberalismus: Dazu kommen Grunderkenntisse der neoliberalen Theorie, die auf die Notwendigkeit hinweisen, den unternehmerischen Ent-scheidungsprozeß durch einen entsprechenden wirtschaftlichen (im besonderen wettbewerbsrechtlichen) Rahmen abzusichern. In der Praxis ergeben sich immer wieder Konfliktsituationen: Der Unternehmer sieht sich auf der einen Seite durch eben diese Wett-bewerbsgesetzgebung in seinen Entscheidungen eingeengt, an-dererseits vielfach einem starken Druck monopolartiger Organi-sationen wie der Gewerkschaften am Arbeitsmarkt gegenüber, vor allem aber zumindest in vielen Bereichen einem geschlosse-nen Block öffentlicher Auftraggeber.

Dazu einige grundsätzliche Überlegungen:

Theodor Strohm stellt mit Recht fest, daß die Bewältigung der Pro-bleme unserer Gesellschaft von uns immer wieder außerordentli-che moralische Anstrengungen erfordere. In diesem Zusammen-hang zeige sich immer wieder ein Spannungsfeld zwischen Wirtschaft und Ethik: Die Spaltung der Wirklichkeit in eine von Eigengesetzlichkeiten geprägte wirtschaftliche oder technische Entwicklung und andererseits das Bewußtsein einer persönlichen Verantwortung in der komplexen und komplizierten Wirtschaftsgesellschaft unserer Zeit erzeugen natürlich Spannungen. *Strohm* stellt nun fest, daß man heute die Aufgabe einer Wirtschaftsethik neu formulieren müsse: Sie könne nicht nur als Ethik wirtschaftlicher Organisationen oder der institutionellen Ordnung der Wirtschaft begriffen werden, sondern sie sei immer auch Individualethik, sie beschäftige sich also auch mit der normativ geprägten Motivation einzelner im Wirtschaftsprozeß tätiger Persönlichkeiten. Gerade hier wird man den Zugang zur Untenehmerethik finden müssen. In diesem Sinn kann man *Strohm* folgen, daß Wirtschaftsethik und Wirtschaftspolitik eingebunden sind in die Bemühung, einzelne Inititativen anzuregen, damit einer Machtkonzentration entgegenzuwirken und destruktive Tendenzen abzuwehren.[27] Je stärker ein Wirtschafts- und Sozialsystem solche Einzelinitiativen wirksam werden läßt, desto mehr werden sich auch aus der Sicht der Unternehmerethik Entscheidungen aus der Gewissensverantwortung ergeben.

Der langjährige Präsident der Bundesanstalt für Arbeit in Nürnberg, *Josef Stingl,* betont in diesem Sinn, daß das Prinzip der Subsidiarität neben dem der Personalität und Solidarität wieder stärker beachtet und praktiziert werden müßte. Stingl nennt dieses Subsidiaritätsprinzip das Kompetenzprinzip zwischen der Personalität und der Solidarität. Die durchaus berechtigte Wertschätzung moderner sozialstaatlicher Konzepte kann nicht darüber hinwegtäuschen, daß die Eigenaktivität des Menschen zu wenig gefördert wird, wie *Stingl* mit Recht feststellt. Der Ordnungsgrundsatz der Personalität betont die Bedeutung der einzelmenschlichen Verantwortung und Entscheidungsfindung.[28] Eng damit verbunden ist aber die Leistungsorientierung: Aus der Sicht der Unternehmerethik geht es immer wieder um die

Betonung der Eigeninitiative, des stärksten Wachstumsimpulses in der Wirtschaft.

Eine entscheidende Begründung für den hohen Wertrang des Unternehmers in der Wirtschaftsethik ergibt sich aus der Tatsache, daß eben dieser Unternehmungsgeist Voraussetzung des Wirtschaftswachstums ist. *Johannes Messner* sieht die maßgebenden Grundbedingungen des wirtschaftlichen Wachstums im Unternehmungsgeist und der Kapitalbildung, die sich wiederum wechselseitig bedingen: Erst durch die unternehmerische Verwendung von Anfangskapital mit dem Ziel, eine Wachstumsbestimmung des Kapitals zur Geltung zu bringen, wird der Kapitaleinsatz für das Wirtschaftswachstum wirksam. Der Unternehmer kann aber erst durch den Kapitaleinsatz entsprechend tätig werden. Auch eine noch so fortgeschrittene Technik bleibt ohne Unternehmergeist ungenützt. *Messner* geht nun vom Gemeinwohlprinzip aus, wenn er darauf hinweist, daß die sozialwirtschaftliche Produktivität umso vollkommener verwirklicht ist, je mehr „planender Geist in der geordneten sozialwirtschaftlichen Kooperation tätig ist"; genau dies sei aber der Fall, wenn ein Höchstmaß an privater Unternehmertätigkeit bestehe. Hier folgt *Messner* wie *Utz* dem Subsidiaritätsprinzip mit dem Vorrang der kleineren gesellschaftlichen Einheiten: *Messner* kennzeichnet es als das Gesetz des größten Ausmaßes individueller Eigentätigkeit und Eigenverantwortung.[29]

Die Unternehmerethik wird also durch diese Hervorhebung der Eigeninitiative und Eigenständigkeit des Unternehmers, der vielen kleinen und mittleren Unternehmungen gekennzeichnet. Damit erfährt die Unternehmerethik gewiß eine starke, individualistische Prägung: Es ist aber der Sozialzweck der Wirtschaft, die größtmögliche Produktivitätssteigerung zur bestmöglichen Versorgung einer Volkswirtschaft, der zugleich dem Gemeinwohl Rechnung trägt. Damit verbinden sich individualethische und sozialethische Komponenten in dieser Unternehmerethik.

4 Die Chance des Unternehmers

4.1 Sachzwänge gegen Dynamik?

Gibt es den Pionierunternehmer wirklich so häufig, überwindet der dynamische Unternehmer die Sachzwänge, die sich durch einen weitreichenden Dirigismus, planwirtschaftliche Elemente und eine umfassende Wirtschaftsgesetzgebung, durch eine überdimensionierte staatliche Bürokratie ergeben? Hat dieser Unternehmer in einer so sehr vom technischen Fortschritt bestimmten Wirtschaft überhaupt noch die Chance, ethisch relevante Entscheidungen zu treffen?

Gewiß nicht in dem Sinn, daß in der Regel ein frei bestimmbarer Entscheidungsvorgang möglich ist. Ökonomische, technische und administrative Sachzwänge sind weithin von großer Bedeutung. In dem freibleibenden Entscheidungszeitraum aber handeln zu können, bedeutet doch immer wieder echte Entscheidung im Sinne der Wahl zwischen verschiedenen Alternativen. Letztlich geht es nicht immer um die individuelle Entscheidung, sondern um den Zusammenhang verschiedener Entscheidungsprozesse. In diesem Sinne sagt *Gerhard Merk*, daß der dynamische Unternehmer Wagemut aufbringen muß, Freude am Gestalten haben soll, vor allem aber die nötigen Kräfte aufbringen muß, sich den Hindernissen entgegenzustellen. Entscheidend sei der Wille des Unternehmers, sich unbedingt durchzusetzen. Wer Unternehmerpersönlichkeiten in größerer Zahl kennt, wird hier immer wieder ähnliche Erfahrungen machen können. Merk sieht es als besonderes Kennzeichen dieser Pionierunternehmer an, daß sie den Weg für andere vorzeichnen. Entsprechende Gewinne locken andere an. Der Rückgang der Gewinne in der weiteren Folge bewirkt neue Zielsetzungen des Pionierunternehmers, neue Veränderungen im

Produktionsprozeß. Wie *Johannes Messner* sieht auch *Gerhard Merk* den Eigenunternehmer — bei aller Bedeutung des Managers — als besonders wichtig für die wirtschaftliche und gesellschaftliche Entwicklung an.[30]

4.2 Bewältigung von Entscheidungssituationen

Der Unternehmer wird durch immer neue Ereignisse im Wirtschaftsleben zu immer neuen Entscheidungen veranlaßt. Dabei kann er sich mehr als etwa der Politiker auf rational erarbeitete Entscheidungshilfen stützen. Das Quantitative, das Meßbare, spielt eine ungleich größere Rolle. Größtmögliche Rationalität im Entscheidungsprozeß wird daher zu einer eindeutigen Handlungsmaxime.

Dennoch kommt dabei gerade der Intuition eine besondere Rolle zu. Erfolgreiche Unternehmer schreiben gerade dem intuitiven Erfassen einer Situation, die zu rascher Entscheidung zwingt, große Bedeutung zu. Freilich sind wie in allen Schichten auch die Unternehmerpersönlichkeiten verschieden, die Anforderungen noch mehr — nach Wirtschaftszweigen, vor allem nach der besonderen Situation des einzelnen Unternehmens.

Besondere Probleme kommen jenen Entscheidungen zu, die in geteilter Verantwortung erfolgen: Dies gilt zunächst für Kollegialorgane in den Unternehmen selbst, etwa Vorstandsbeschlüsse. Schwieriger sind meist jene Entscheidungen in gemeinsamer Verantwortung, die zugleich innerhalb und außerhalb des Unternehmens fallen: Stellt doch die moderne Wirtschaft mit allen Institutionen, die sie verwalten, fördern oder in irgendeiner anderen Weise „beeinflussen", ein sehr komplexes und vielschichtiges Gebilde dar. Entscheidungen wirtschaftlicher Art fallen in den Unternehmen und Betrieben, in den Konzernen und Kartellen, bei den planenden und administrativen Behörden und Institutionen, bei den Verbänden und den politischen Parteien, nicht zuletzt auf der Ebene der Regierungen und Parlamente. Wenn sich dann der Unternehmer etwa einer konkreten Investitionsentscheidung gegenübersieht, wirken nicht nur andere Unternehmen wie die Banken mit, sondern auch Förderungseinrichtungen vielfältiger Art, Regierungsstellen und andere Institutionen. Auch wenn der einzelne Unternehmer gar keine Förderung anstrebt, wird er durch das Verhalten der Konkurrenz in seinen Investitionsentscheidungen beeinflußt. Angesichts der Bedeutung der Finanzierungsinstitute sind auch viele Investitionsentscheidungen nur mehr in gemeinsamer Verantwortung mit den Banken möglich. Damit ergeben sich so viele komplizierte und ineinandergreifende Entscheidungsprozesse, daß die Unternehmerentscheidung hohe Anforderungen stellt.

Viele unternehmerische Entscheidungen erfolgen in Konfliktsituationen.

Das Nutzenmaximierungsprinzip zwingt vielfach zur Reduktion der Belegschaft. Dem stehen sehr oft soziale Erwägungen gegenüber, manchmal auch rationale: etwa die Befürchtung, öffentliche Aufträge zu verlieren, wenn Kündigungen in den Medien bekanntgemacht werden. Gerade hier — in der sinnvollen Reihung unterschiedlicher Zielsetzungen — gewinnt die Unternehmerethik Bedeutung. Sie stellt die unabdingbaren Ziele — vor allem das vorrangige Ziel der Erhaltung und Sicherung der wirtschaftlichen Existenz eines Unternehmens — deutlich heraus.

Der so früh verstorbene bedeutsame Sozialethiker *Wilhelm Weber* hat sich in Theorie und Praxis immer wieder mit dem Unternehmer auseinandergesetzt. *Weber* sah als hervorstechendstes Zeichen des Unternehmers seine Kreativität: Diesen Begriff dürfe man freilich nicht zu eng fassen. Es geht dabei nach *Weber* nicht um eine permanente hektische Veränderung und dauernde Expansion: In der harten Konkurrenzwirtschaft unserer Zeit kann schon die Konsolidierung eines Unternehmens eine hervorragende unternehmerische Leistung sein, sagt *Weber.* Flexibilität, Innovationsgeist und Risikobereitschaft sind auch dafür oft genug notwendig, nicht nur für kühne expansive Bestrebungen. *Weber* zitiert den früheren Spitzenmanager des Volkswagen-Werkes *Heinrich Nordhoff,* der festgestellt hat, daß das Unternehmensziel nicht in einer Gewinnmaximierung liege, nicht in der Gewinnung eines immer größeren Marktanteiles, nicht in der Richtung auf Quantität, sondern primär in der inneren Stärkung des Unternehmens und in der Erhaltung der Arbeitsplätze, mit denen ein Unternehmen mittelbar und unmittelbar die Existenzgrundlage der bei ihm und von ihm Beschäftigten darstelle.[31] Dies ist eine Sicht einer sozial motivierten Unternehmerethik.

4.3 Gewinnung von Entscheidungshilfen

Die erstrangige Hilfestellung für die unternehmerische Entscheidung ist das Wissen und die persönliche Fähigkeit des Unternehmers. Gerade die so schwierigen Ausgangssituationen vieler unternehmerischer Entscheidungen machen es notwendig, daß ein Unternehmer immer wieder bestrebt ist, sich das notwendige Wissen zur Bewältigung wirtschaftlicher Entscheidungsprozesse anzueignen. Dabei geht es um die sich immer neu stellende Notwendigkeit des Lernens während der gesamten Dauer der unternehmerischen Tätigkeit. Der enorme technologische und ökonomische Wandel macht dies mehr als in den meisten anderen Berufen erforderlich.

Rolf Eschenbach hat im Rahmen eines Kongresses „Manager für morgen" im April 1987 in Wien darauf hingewiesen, daß heute in den wirtschaftsnahen wissenschaftlichen Institutionen wichtige Bildungsbereiche für den Unternehmer- und Managernachwuchs gedeckt werden können. Entscheidend sei, daß Professoren einer

Wirtschaftsuniversität längere Zeit im Zuge ihrer beruflichen Laufbahn mittelbar oder unmittelbar für die wirtschaftliche Praxis gearbeitet hätten. Diese Kontakte würde man sein ganzes Leben hindurch nicht vergessen, und solche Erfahrungen kämen unmittelbar dem unternehmerischen Nachwuchs zugute. Gewiß hat die Bedeutung der Wirtschaftshochschulen und Management-Institute für die Nachwuchsausbildung der Unternehmer enorm an Bedeutung gewonnen. *Eschenbach* sagt dazu noch, daß das Ziel der hochschulmäßigen Managerausbildung auf die Zukunft ausgerichtet sein müsse: Es müßten heute Manager ausgebildet werden, die in 15 bis 20 Jahren Toppositionen in der Wirtschaft einnehmen könnten. Von Bedeutung sei auch die Bereitschaft, internationale Erfahrungen zu machen, Weiterbildungsmaßnahmen auch im Ausland zu suchen.[32]

In all dem liegen zweifellos wichtige Voraussetzungen für die Gewinnung zukunftsorientierter und fähiger Unternehmerpersönlichkeiten. Dennoch bleibt die persönliche Weiterbildung des einzelnen Unternehmers das eigentliche Schlüsselproblem: Diese kann als dauernde Unternehmeraufgabe durch nichts ersetzt werden.

Entscheidungshilfen sachlicher Art kommen heute auch aus der Wirtschaftspresse, den Fachzeitschriften, den Fachbüchern, vor allem aber aus den für die einzelnen Wirtschaftsbereiche bestimmten Fachpublikationen. Der Unternehmer soll kein Wissenschafter sein: Dennoch muß er heute — gerade in Spitzenpositionen der Wirtschaft — über das einschlägige Datenmaterial verfügen, muß auch in der Lage sein, wissenschaftlich konzipierte Wirtschaftsberichte, Konjunktur- und Branchenanalysen zu lesen. Natürlich bestehen in den diesbezüglichen Anforderungen große Unterschiede, je nach der Position des Unternehmers oder Managers.

Für viele Unternehmer ergeben sich aus der Verbandstätigkeit, für nicht wenige aus der politischen Arbeit besondere Anforderungen, die auch die Entscheidungshilfen betreffen. Dazu wird noch gesondert Stellung zu nehmen sein.

4.4 Berufsethos des Unternehmers

Der Unternehmerberuf muß als Herausforderung verstanden werden, als Chance, eine persönliche Leistung in der Gesellschaft zu erbringen: Darin sieht *Arthur Fridolin Utz* die Möglichkeit, einen Beruf aus innerer Berufung zu ergreifen, damit auch das persönliche Wesen eines Menschen in der Gesellschaft darzustellen. Damit gewinne der Mensch auch die Chance, alle Einzelhandlungen in einen ganzheitlichen Lebenssinn einzuordnen. Der Mensch suche weithin nach einer Lebenstätigkeit, die ihn innerlich erfüllt und für die er eine innere Berufung empfindet.[33] Tatsächlich bestätigen Unternehmer immer wieder, daß sie keinen anderen Beruf möchten, daß sie sich einfach zur Selbständigkeit berufen fühlen, daß sie nicht weisungsgebunden arbeiten wollen. Man erlebt auch immer wieder tragische Lebenssituationen, daß Unternehmer nach Insolvenzfällen oft im fortgeschrittenen Alter einen Angestelltenberuf ergreifen müssen und dabei nicht mehr jene Lebenserfüllung finden, die ihnen der Unternehmerberuf gegeben hat. Für *Utz* ist der Beruf Entfaltung persönlicher Anlagen und Talente: Damit ist die individualethische Seite angesprochen. Die möglichst optimale Berufswahl ist aber auch ein wichtiges gesellschaftspolitisches Anliegen. Menschen, die ihren Lebenssinn im Beruf (soweit dies eben möglich ist) gefunden haben, werden dort mehr leisten als in anderen Tätigkeiten. Gerade an einer ausreichenden Zahl fähiger Unternehmer muß jede staatlich organisierte Gesellschaft besonders interessiert sein.

Auch für *Utz* steht am Beginn der Ziele berufsethischer Überlegungen die Erhaltung und Sicherung der eigenen Existenz: Damit wird ein stark persönlichkeitsbezogenes Element im Berufsethos auch des Unternehmers sichtbar. *Utz* betont aber in diesem Zusammenhang, daß dem Menschen als sozialem Wesen ebenfalls daran liege, „seine Persönlichkeitsentfaltung in der Schaffung von Werten zu sehen, die den Mitmenschen etwas bieten". Gerade diese gemeinwohlorientierte Seite des Unternehmerdaseins ist auch für das Berufsethos von Bedeutung: *Utz* sagt dazu, daß der Beitrag des einzelnen für die Gemeinschaft aus dem persönlichen Wertschaffen kommt, daß berufliches Arbeiten immer auch als Beitrag zur kulturellen Entwicklung anzusehen sei.[34]

Wenn wir versuchen, eine Verbindung mit der utilitaristischen Ethik herzustellen, steht diese gemeinwohlorientierte Seite des Berufsethos des Unternehmers damit in keinem Widerspruch: Will doch auch der Utilitarismus alle Handlungsfolgen für die betroffenen Menschen und Schichten herausstellen und nicht alles für richtig ansehen, was den Zielen des Handelnden nützlich ist;[35] damit läßt sich eine sinnvolle utilitaristische Konzeption, wie sie für die Unternehmerethik angenommen wird, von einer egoistischen Ethik abgrenzen.

Richard Allen Posner spricht von einer Ethik der Wohlstandsmaximierung: Der Unternehmer trägt, wenn er seine eigenen Interessen durchsetzt und im Wettbewerbsprozeß mit fairen Methoden arbeitet, entscheidend zum Sozialzweck der Wirtschaft, der Wohlstandsmaximierung, bei. *Posner* bezeichnet eine Wohlstandsmaximierung als eine Transaktion oder eine andere Veränderung im Eigentum oder Gebrauch von Vermögenswerten: Diese sei dann sinnvoll, wenn dadurch der Wohlstand einer Gesellschaft erhöht wird. Wenn es im Wettbewerb gelingt, etwa monopolistische Positionen zu überwinden, werden die Konsumenten durch günstigere Preise mehr Wohlstand erlangen können: Damit wird die Gesellschaft insgesamt reicher. Posner will damit ein Wirtschaftssystem herausstellen, das die produktive Arbeit direkt belohnt und das rascher Prosperität verwirklicht als eine sozialistische Wirtschaftsordnung, bei der Leistung und Belohnung weniger zusammenhängen.[36]

Das Berufsprestige der Unternehmer ist trotz vieler aggressiver Haltungen in weiten Bevölkerungsschichten überdurchschnittlich gut. Berufsprestige wird dabei als Ansehen verstanden, das den in einer Gesellschaft vorkommenden Berufen oder Berufspositionen von den Angehörigen eben dieser Gesellschaft zugeordnet wird.[37] Dabei geht es also um ein Werterlebnis, das sich in weiten Schichten mit diesen Berufen verbindet. Mit Ärzten, Universitätsprofessoren und Angehörigen sozialer Berufe verschiedener Art kommt auch dem Unternehmer angesichts seiner großen Bedeutung für die soziale und wirtschaftliche Lage vieler Menschen eine überdurchschnittliche Achtung zu: Dennoch steht außer Zweifel, daß eben dieses Berufsprestige durch negative Haltungen einer kleinen Minderheit mehr als in anderen Berufen gefährdet wird. Das Berufsethos zu wahren, sich immer der so bedeutsamen Unternehmerfunktion zu erinnern, wird daher zu einer der erstrangigen Verpflichtungen aus der Sicht einer Unternehmerethik. Heute haben die alten Zünfte längst die Aufgabe verloren, für Standesehre und Berufsethos einzutreten. Umso wichtiger wird die Funktion der Unternehmerethik, das Berufsethos in allen Belangen hochzuhalten.

5 Politisch-soziale Ordnung und Unternehmerethik

5.1 Grundlegung

Die Chance des Unternehmers zur vielseitigen wirtschaftlichen Initiative setzt bestimmte Ordnungsgrundsätze im politischen und sozialen Leben voraus. In einer totalen Planwirtschaft mit einer totalitären politischen Ordnung bleibt kaum ein Handlungsspielraum für unternehmerische Entscheidungen, kann Unternehmerethik nicht wirksam werden — allenfalls nur in kleinen Randbereichen, im Widerstand gegen eben diese umfassende Zwangsordnung.

Der möglichst freie Zugang zum Unternehmerberuf ist eine Grundvoraussetzung eines entsprechenden Handlungsspielraums der Unternehmer, vor allem aber eine wesentliche Vorbedingung einer funktionsfähigen Wettbewerbsordnung. Dazu kommt die Sicherung einer ausreichenden politischen Freiheit als Garant einer freiheitsorientierten Gesellschaftsordnung. Ohne eine Durchsetzung des Ordnungsprinzips der Freiheit kann auch eine marktwirtschaftliche Ordnung nicht realisiert werden.

Subsidiarität bedeutet einen Vorrang der kleineren Gemeinschaften und sozialen Einheiten, nicht zuletzt auch eine Vorrangstellung der Unternehmungen gegenüber gemeinwirtschaftlichen Institutionen. Eine stabile politische Ordnung ermöglicht dem Unternehmer eine langfristige Konzeption seiner Entscheidungen. Dazu gehört auch die soziale Einbindung der Unternehmer in größere Gemeinschaften: Über den eigenen Unternehmensbereich verbindet die Unternehmer auch eine Solidarität der Berufsgemeinschaft, dies trotz aller wirtschaftlichen Gegensätze im Wettbewerb innerhalb der einzelnen Wirtschaftszweige.

5.2 Das Subsidiaritätsprinzip

Die Gesellschaft soll alle Aufgaben, die der einzelne und die kleineren Gemeinschaften erfüllen können, diesen nicht nehmen: Das Subsidiaritätsprinzip als Aufbauprinzip der sozialen Ordnung bedeutet zunächst Freiheit der Gruppenbildung von unten nach oben, Zurückhaltung der gesellschaftlichen Autorität zugunsten der freien Initiative von unten her (*Arthur Fridolin Utz*).[38] Je mehr es gelingt, überschaubare und funktionsfähige kleinere Einheiten zu schaffen und zu erhalten, desto eher werden die Voraussetzungen für eine bestmögliche Überschaubarkeit der Entscheidungsprozesse gegeben sein. Dies ist auch für die Unternehmerethik von sehr großer Bedeutung: Die an sich so komplizierten Entscheidungsvorgänge werden leichter, wenn sie sich in überschaubaren Dimensionen abwickeln.

Vor allem geht es heute darum, im staatlichen Bereich, aber auch in der Wirtschaft einem überdimensionierten Anwachsen der großen bürokratischen Institutionen entgegenzuwirken. Gerade im staatlichen Bereich haben die bürokratischen Einrichtungen einen geradezu unaufhaltsamen Trend zur Ausweitung gezeigt. Dem gilt es auch aus der Sicht der Unternehmerethik entgegenzuwirken: Werden doch durch die weitverzweigten bürokratischen Einrichtungen des Staates in weiten Bereichen Unternehmerinitiativen eingeengt und ausgeschaltet. Heute hat etwa die Bundesrepublik Deutschland gegenüber der Zeit der Weimarer Republik die dreifache Anzahl an öffentlichen Bediensteten, in Österreich steht es hier eher noch schlechter. Vor allem werden die einzelnen bürokratischen Institutionen immer schwerer überschaubar, dies trotz Computereinsatz und weitreichenden Rationalisierungsbemühungen. Dadurch werden Entscheidungsprozesse immer schwieriger, für die Betroffenen — so besonders auch für die Unternehmer — schwerer verständlich.

Der Trend zur Gigantomanie macht vor der Wirtschaft nicht Halt.

So wichtig die multinationalen Unternehmungen auch sein mögen — nicht zuletzt für die weltweite wirtschaftliche Verflechtung und Integration —, ihre bürokratischen Einrichtungen bleiben vielfach nicht hinter vergleichbaren staatlichen zurück. Generell dem Trend nach überdimensionierten Einrichtungen entgegenzuwirken, der Dezentralisation und Eigenständigkeit kleinerer Einheiten mehr Chance zu geben, bleibt ein vordringliches Anliegen der Gesellschaftspolitik im nationalen wie im internationalen Bereich. Aus der Sicht der Unternehmerethik bleibt das Subsidiaritätsprinzip entscheidend für Strukturreformen in allen Bereichen der Gesellschaft: Es bleibt in diesem Sinn erstrangiges Ordnungsprinzip der Gesellschaft.

5.3 Die offene Gesellschaft

Karl R. Popper hat mit seiner Konzeption der offenen Gesellschaft auch Entscheidendes für die bestmögliche Gestaltung einer politisch-sozialen Ordnung ausgesagt, in der freie Unternehmer nach rationalen Gesichtspunkten, nicht zuletzt aus ihrer Gewissensüberzeugung heraus entscheiden und handeln können.
Diese offene Gesellschaft ist gerade durch die Chance gekennzeichnet, daß die einzelnen persönliche Entscheidungen treffen können. Menschlichkeit kann nach *Popper* nur in einer offenen Gesellschaft, nicht in einer Diktatur oder in einem totalitären System, verwirklicht werden.[39]
Politische Zwangssysteme werden als geschlossene Gesellschaften gekennzeichnet. Immer wieder zeigen sich — nehmen wir etwa die politischen Geschehnisse in vielen Ländern der Dritten Welt — Gefahren, daß offene oder halboffene Systeme zu geschlossenen werden, daß totalitäre oder autoritäre Formen der politischen „Ordnung" hervortreten, daß Regungen der Freiheit, Versuche, zu einer offenen Gesellschaft zu gelangen, immer wieder

unterdrückt werden. Gewiß ordnet *Popper* auch magische oder stammesgebundene Gesellschaften unter die geschlossenen ein.[40] Die Probleme der modernen politischen Welt konzentrieren sich aber auf die Alternative zwischen offenen Gesellschaften, in denen persönliche Entscheidungsräume geschaffen werden, und jenen geschlossenen Systemen, in denen weitreichend — mehr oder minder stark — Regungen der Freiheit unterdrückt werden.

Wenn heute immer wieder von einem Wertchaos in unserer Gesellschaft gesprochen wird, liegt es wohl daran, daß unverträgliche und widersprüchliche Werte und Zielsetzungen zur Gestaltung der politisch-sozialen Ordnung zur gleichen Zeit hervortreten. Vor allem fehlt, wie *Hans-Joachim Türk* sagt, eine gemeinsam verbindliche Rangordnung von Werten.[41] Vielleicht fehlen auch die „Oberwerte", die Leitlinien, nach denen unsere gesellschaftliche Ordnung auszurichten wäre. Unternehmerische Entscheidungen sind nur möglich, wenn ein weiter Handlungs- und Entscheidungsspielraum vorhanden ist: Von hier aus kann aber auch analog gefolgert werden, daß eine offene Gesellschaft unabdingbar ist, wenn eben dieser Spielraum für politisches, wirtschaftliches und persönliches Handeln nicht nur den Unternehmern, sondern möglichst allen Menschen in der politischen Ordnung zukommen soll.

Damit wird eine offene Gesellschaft — und dies gerade in der ihr von *Popper* gegebenen Konzeption — zur unabdingbaren Voraussetzung für ein Sozialmodell, das zukunftsweisend und freiheitsorientiert sein soll.

5.4 Stabilität des politischen Systems

Die Unternehmer müssen in der Lage sein, längerfristig disponieren zu können.

Die Bewältigung der damit verbundenen Entscheidungssituationen setzt voraus, daß die entsprechende Rahmenordnung einigermaßen überschaubar ist. Dies bedingt wiederum entsprechende Stabilität der politischen Gegebenheiten: nicht im Sinne einer Aufrechterhaltung gegebener politischer Mehrheiten in Demokratien, wohl aber der grundsätzlichen politischen Daten in einem Staat. Die Unternehmer sollen in diesem Sinn damit rechnen können, daß die Grundgegebenheiten der Wirtschaftsordnung, die allgemeinen Grundsätze des Wirtschaftsrechtes, die gegebene Wettbewerbsordnung und die Grundbedingungen des Wirtschaftslebens längerfristig eine gewisse Stabilität aufweisen.

Jedes politische System bemüht sich um gewisse stabilisierende Maßnahmen.

In diesem Sinn ist die Systemstabilität in Ländern mit einer einigermaßen ausgereiften politischen Grundstruktur weitgehend gegeben. Staaten, die dagegen immer wieder von Revolutionen oder anderen weitreichenden politischen Veränderungen bedroht sind, können auch den Unternehmern keinen entsprechenden Rahmen für längerfristige Dispositionen geben. Einzelne lateinamerikanische Staaten haben in diesem Sinn ungünstige Voraussetzungen für die wirtschaftliche Konsolidierung aufzuweisen; hohe Inflationsraten sind in diesem Zusammenhang eine Folgewirkung dieser politischen Gegebenheiten, andererseits wiederum Miturssache der Verunsicherung der Unternehmer in ihren längerfristigen Entscheidungen.

Unternehmerethik bedeutet die Notwendigkeit, den Handlungs- und Entscheidungsspielraum des Unternehmers abzusichern und damit Voraussetzungen für rationale Entscheidungsfindung aus der Gewissensverantwortung zu ermöglichen.

In diesem Sinn müssen stabilisierende Maßnahmen im politischen System gesetzt werden, um diese Voraussetzungen sicherzustellen. Über den ökonomischen Rahmen hinaus soll der Unternehmer mehr Sicherheit in einer stabilen staatlichen Ordnung finden

— natürlich damit auch die anderen Staatsbürger. Dabei kann der Staat nur die Rahmenordnung garantieren: Gerade dies ist aber von entscheidender Bedeutung auch für die Handlungsfähigkeit und die Entscheidungsfindung des Unternehmers.

Politische Stabilität ist nicht mit einer wirtschaftlichen gleichzusetzen, die als Zustand einer ruhigen und gedeihlichen ökonomischen und sozialen Entwicklung anzusehen ist, dies verbunden mit einer gewissen Einkommens- und Wohlstandssteigerung. Freilich werden politische und wirtschaftliche Stabilität in gewissem Umfang zusammenhängen. Große Bedeutung sowohl für die politische wie die wirtschaftliche Stabilität kommt dem sozialen Frieden in einer Gesellschaft zu. Stabilität im politischen Sinn bedeutet keineswegs, daß ein Erstarrungsprozeß eintreten soll. Ganz im Gegenteil müssen immer wieder Kräfte der Reform einsetzen, müssen institutionelle Voraussetzungen des politischen Systems verbessert werden. Gerade aber wenn solche Reformen eine nachhaltige Verbesserung der politischen Verhältnisse mit sich bringen sollen, müssen sie einerseits von der gegebenen Sozialstruktur ausgehen, andererseits eine gewisse Kontinuität und Stabilität einer staatlich organisierten Gesellschaft voraussetzen können.

In Österreich kann etwa das sozialpartnerschaftliche System als eine wesentliche Voraussetzung für eine solche allmähliche Stärkung der politischen Stabilität angesehen werden. Vergleichen wir dagegen die Zwischenkriegszeit mit ihren labilen Gegebenheiten, mit den starken innenpolitischen Gegensätzen, so wird uns erst deutlich, wie sehr auch die Chancen des Unternehmers in einer stabilen politischen Ordnung größer werden, wie die Voraussetzungen für eine wirtschaftliche Aufwärtsentwicklung sich verbessern können.

Stabilität des politischen Systems ist die Grundvoraussetzung eines geordneten sozialen Wandels. Heute sprechen wir vielfach von einer „Totalität des sozialen Wandels" *(Erich Bodzenta)*.[42] Je stärker die Kräfte werden, die auf eine Veränderung hinwirken, desto wichtiger wird es, Ordnungskräfte aufzubauen, die eine gewisse Stabilität der Rahmenbedingungen des politischen und wirtschaftlichen Lebens sicherstellen. In diesem Sinn sind es wieder die Unternehmer, die hier vorrangige und unvertretbare Aufgaben zu erfüllen haben. Die Unternehmerorganisationen können, wie nicht nur das österreichische Beispiel zeigt, bedeutsame stabilitätsorientierte Funktionen erfüllen: Vor allem dann, wenn es gelingt, im Rahmen einer sozialpartnerschaftlichen Kooperation entsprechende breite Einflußzonen sicherzustellen.

Gesamtwirtschaftliche Stabilität bedeutet in diesem Sinn zunächst Sicherung des sozialen Friedens, dann der Geldwertstabilität als einer sehr wichtigen Voraussetzung einer stabilen Entwicklung (und nicht zuletzt auch längerfristiger Unternehmerentscheidungen), aber auch Erhaltung einer möglichsten Vollbeschäftigung: Sind doch hohe Arbeitslosenraten immer wieder Anlaß für soziale und damit verbundene politische Konflikte.

Es gibt aber auch ein Stabilitätsproblem im einzelnen Unternehmen: Die meisten Unternehmen erreichen ihre Ziele nur, wenn sie eine längere Lebensdauer aufweisen. Viele Firmen überleben Jahrhunderte: Dies widerspricht nicht dem an sich notwendigen Mobilitätsprinzip der modernen Wirtschaft. Gerade sehr alte Unternehmen können starke Stützen auch einer zukunftsweisenden wirtschaftlichen Entwicklung sein. Dies gilt in besonderer Weise etwa für Banken, aber auch für viele Industrieunternehmen, wohl auch für weite Bereiche der Mittelstandsbetriebe in Gewerbe, Handel, Fremdenverkehrswirtschaft und im Verkehrsgewerbe. Eine zu hohe Anzahl von Konkursen und Ausgleichen, häufiger Eigentümerwechsel bei vielen Unternehmen sind Anzeichen wirtschaftlicher Störungen, nicht nur für die betroffenen Unternehmungen. Gewiß wird der Wettbewerb immer wieder zum Ausscheiden von Unternehmen und Unternehmern zwingen. Stabilität im wirtschaftlichen Sinn bedeutet auch, daß sich die Unternehmen mit einer ausreichenden Eigenkapitalausstattung ausrüsten können. Dafür wiederum wird die staatliche Finanzpolitik, die Budget- und Steuerpolitik wichtige Voraussetzungen schaffen müssen. Vor allem dürfen die Unternehmen nicht durch eine extreme Steuerpolitik daran gehindert werden, sich eine solche ausreichende Eigenkapitalbasis zu bilden. Es ist ein schlechtes Zeugnis für die Finanzpolitik eines Staates, wenn sie die notwendige finanzielle Konsolidierung der Unternehmen behindert, anstatt sie zu fördern: Dies gehört zu den wichtigsten Aufgaben einer zukunftsweisenden Politik eines Staates zur Festlegung wirtschaftsfördernder Rahmenbedingungen im Sinne der aufgezeigten Stabilitätserfordernisse.

Die Stabilität des politischen Systems wird — wie schon hervorgehoben wurde — durch die Kooperation der wichtigsten Institutionen sichergestellt, die den politischen Entscheidungsprozeß bestimmen. Das sind neben den politischen Parteien in den modernen Verbändedemokratien auch die großen Interessensverbände, vor allem der Arbeitgeber und Arbeitnehmer. Nun werden gerade zwischen Unternehmerorganisationen und Gewerkschaften gewisse weitreichende Auffassungsunterschiede über die Wirtschaftsordnung bestehen. Es geht aber darum, gewisse gemeinsame Wertüberzeugungen herauszuarbeiten und diese als Grundlage für gemeinsame Zielsetzungen herauszustellen. In Österreich ist dies weitgehend gelungen. So haben größere Gegensätze in den ordnungspolitischen Vorstellungen in den sechziger Jahren zu Kompromißhaltungen geführt: Die Forderungen des Gewerkschaftsbundes nach einer obersten Wirtschaftskommission erschienen der Unternehmerseite unannehmbar; als Kompromißlösung wurde dann im Rahmen der sozialpartnerschaftlichen Kooperation der Beirat für Wirtschafts- und Sozialfragen im Jahr 1963 als Unterausschuß der bewährten Paritätischen Preis-Lohn-Kommission gebildet. Dieser Beirat konnte seither als Expertengremium der Sozialpartner wichtige wirtschafts- und sozialpolitische

Beratungsaufgaben auch für die Regierung durchführen; er wurde auch zum Modell für die Errichtung anderer Beiräte bei den für Wirtschafts- und Sozialpolitik zuständigen Bundesministerien.

5.5 Das Solidaritätsprinzip

Der polnische Sozialethiker *Joachim Kondziela* sieht in diesem Ordnungsgrundsatz der Solidarität die seinshafte wechselseitige Bezogenheit oder Hinordnung der Personen aufeinander und auf das Gesellschaftsganze, aber auch eben dieser Gesamtgesellschaft auf die Einzelpersonen als deren Glieder — also die Rückbindung der einzelnen. Daraus erwachse eine entsprechende wechselseitige Verpflichtung des Füreinander-Einstehens, eben die Solidarität.[43] Die Gesellschaft ist ihrem Wesen nach eine Ordnungseinheit, die nur funktionieren kann, wenn gewisse Solidaritätsverpflichtungen wahrgenommen werden. Es wurde schon im Zusammenhang mit der Stabilität darauf hingewiesen, daß die Unternehmer einer sehr eindeutigen Solidaritätsverpflichtung in ihrem eigenen Bereich unterliegen: Im solidarischen Zusammenschluß in den Unternehmerorganisationen entstehen starke gesellschaftliche Einheiten, denen nicht nur die Aufgabe der Interessenvertretung zukommt, sondern auch wichtige Ordnungsaufgaben in der Gesellschaft: So etwa im Rahmen der sozialpartnerschaftlichen Kooperation, aber auch der Mitwirkung am politischen Entscheidungsprozeß, vor allem im Bereich der Wirtschafts- und Sozialpolitik. Darüber hinaus haben die Unternehmer sehr deutliche Solidaritätsverpflichtungen in ihren eigenen Unternehmungen gegenüber ihren Mitarbeitern. Darauf wird noch Bezug genommen werden.
Ordnung ist immer Einheit in der Vielheit: Auch *Kondziela* betont, daß eben diese Vielzahl menschlicher Einzelwesen in allen Gesellschaftsbereichen zusammenarbeiten muß, um durch prak-

tische Solidarität das Gesellschaftsganze stufenweise zu bilden. Dabei komme den intermediären Gruppen und Institutionen besondere Bedeutung zu.[44] Dazu gehören wiederum die Unternehmerorganisationen. So ergeben sich deutliche Zusammenhänge zur Unternehmerethik: Für einen Teil der Unternehmer entstehen besondere Führungsaufgaben in diesen Unternehmerverbänden, für alle Unternehmer die Verpflichtung zur Mitarbeit, zur finanziellen Beteiligung an den Lasten dieser Organisationen.

Für einen anderen polnischen Sozialethiker, *Jozef Tischner,* ist das Gewissen das Fundament der Solidarität:[45] Tatsächlich zeigt sich Solidarität vor allem dort, wo Notsituationen gegeben sind. So ist die Solidarität vielfach auch die Antwort auf größere gesellschaftliche Herausforderungen. In diesem Sinn mag auch die polnische Gewerkschaftsbewegung gleichen Namens eine solche Antwort auf eine Herausforderung in einer Notsituation gewesen sein.

Im Bereich des katholischen Sozialdenkens ist eine geistige Richtung hervorgetreten, die sich besonders um dieses Solidaritätsprinzip bemüht hat, der Solidarismus: Dieser vor allem von *Heinrich Pesch* als Alternative zum Kapitalismus und Sozialismus konzipierte Solidarismus zeigt bedeutende wirklichkeitsnahe Aspekte, wie vor allem *Franz H. Mueller* nachgewiesen hat. *Mueller* weist darauf hin, daß die Wirtschaft in ihrer Wirksamkeit nur aus ihrer sozialen Funktion heraus verstanden werden kann.[46] Es geht darum, daß die politische Ordnung auf die Solidarität frei entscheidender Menschen — so auch der Unternehmer — vertrauen muß. Das Scheitern planwirtschaftlicher Wirtschaftsordnungen des Ostens ist letztlich auch darauf zurückzuführen, daß diese Voraussetzungen nicht gegeben sind.

Auch Unternehmerethik ist eine Form einer Ethik der Solidarität: In diesem Sinn stellt die Enzyklika Laborem exercens fest, daß es mehrfache Solidaritätsverpflichtungen in der Gesellschaft gibt, daß sich in den einzelnen Gemeinschaften alle Menschen zusammenfinden müssen, „sowohl jene, die arbeiten, als auch jene, die über Produktionsmittel verfügen oder sie besitzen".[47] Von *Heinrich Pesch* bis zur Enzyklika Laborem exercens zeigt sich gerade im katholischen Sozialdenken eine deutliche Linie ab, solidarische Grundhaltungen als entscheidend für die gesellschaftliche Entwicklung herauszustellen.

Die Unternehmer sind in mehrfache Solidaritätsverpflichtungen eingebunden: Die Unternehmerethik will in diesem Sinn zur Bewältigung der daraus entstehenden Aufgaben beitragen, indem sie einerseits diese unterschiedlichen Bereiche solidarischer Verbundenheit aufzeigt, andererseits Wege zur Bewältigung der Solidaritätsverpflichtungen des einzelnen Unternehmers wie auch der Unternehmerorganisationen aufzuweisen versucht. Gerade diese Funktion der Unternehmerethik legt es nahe, Perspektiven für die einzelnen Bereiche der Handlungsfelder und Entscheidungsprozesse der Unternehmer aufzuzeigen.

6 Perspektiven der Unternehmerethik

6.1 Das Grundsatzproblem

Die inhaltliche Bestimmung der Unternehmerethik ist, wie schon hervorgehoben wurde, überaus schwierig und nur in gewissen Grenzen möglich: Die Vielfalt der Entscheidungssituationen, die großen Unterschiede in dieser Hinsicht zwischen den verschiedenen Unternehmern und den einzelnen Wirtschaftsbereichen tragen dazu bei. So geht es mehr um die Heraushebung formaler Entscheidungskriterien.

Arthur Rich weist darauf hin, daß bei einer sozialethisch angelegten Wirtschaftsethik (was teilweise für Unternehmerethik gilt) es darum gehe, eine menschengerecht und sachgemäß strukturierte Ordnung der wirtschaftlichen und sozialen Verhältnisse des Menschen zu erreichen. Dadurch werde die verantwortliche Wahrnehmung wesenhafter Daseinsrechte und Pflichten des einzelnen und der verschiedenen Gruppen (Institutionen, Organisationen) gefördert.[48] In diesem Sinn kann auch der Unternehmer aus der Sicht einer Unternehmerethik leichter seine Aufgaben in Betrieb und Gesellschaft erfassen. Aus der konkreten Problemsituation ergeben sich die Fragestellungen, wird eine Konkretisierung der Forderungen der Unternehmerethik möglich: In diesem Sinn betont *Rich,* daß Problemausweis und Situations- oder Sachanalyse unlösbar miteinander verbunden sind; sie ermöglichen dann die Konkretisierung von Maximen oder Normen.

Alfred Jäger stellt dazu fest, daß die Sozialethik nicht über den empirischen Gegebenheiten eine zweite Welt des ethisch Wünschbaren aufbauen dürfe. Sozialethik, Wirtschaftsethik, Unternehmerethik: all das sind realitätsbezogene Disziplinen. Dies unterscheidet sie nach *Jäger* sehr von ideologisch fixierten

Grundhaltungen, „daß sie den Realitäten keine aus sachfremden Quellen gespeisten Anschauungen überstülpen, sondern kritisch analysierend bei gegebenen Problemkomplexen einsetzen".[49]

Anton Rauscher hat wohl mit Recht erkannt, daß die Sozialethik deshalb oft in Bedrängnis gerät, weil sie das Hauptaugenmerk zu sehr auf die Ermittlung und Begründung der Strukturen der wirtschaftlichen und gesellschaftlichen Ordnung gelegt habe, zu wenig aber den Menschen als Träger der maßgebenden Entscheidungen in den Mittelpunkt gestellt habe.[50] Um diesen Menschen geht es auch einer wirklichkeitsnahen Unternehmerethik, die sich bewußt ist, daß eben dieser Unternehmer sich wie alle Entscheidungsträger in unserer Zeit vor eine Fülle von Wertungen und Werthaltungen gestellt sieht. *Rudolf Weiler* hebt dazu hervor, daß es bei der Mobilität der Werthaltungen in unserer Gesellschaft auf die Einflußnahme oder Abstinenz jedes einzelnen ankommt, dies vor allem für die Frage, welche Entwicklungen die öffentliche Moral und die öffentliche Meinung nehmen können.[51] Unternehmerethik ist „anratende Ethik" *(Michael Landmann)*:[52] Es kommen immer neue Anwendungsgebiete im Bereich der Ethik auf uns zu (ein solches Beispiel ist etwa die Umweltethik); so geht auch die Unternehmerethik heute neue Wege, will sie die vielen und unterschiedlichen Entscheidungssituationen des Unternehmers analysieren, soweit damit ethische Wertungen verbunden sind.

6.2 Existenzsicherung

Im Mittelpunkt der unternehmerischen Aufgaben steht die Sicherung der wirtschaftlichen Existenz des Unternehmens. Hier ist die zentrale Aufgabenstellung für den Unternehmer gegeben, der sich für diesen Beruf entschieden hat. Damit wird nicht nur die wirtschaftliche Basis für den Unternehmer selbst und seine Familie gesichert, sondern vielfach auch für eine mehr oder minder große Zahl von Mitarbeitern und deren Familien. Damit erschöpft sich aber keineswegs die soziale Seite der Existenz des Unternehmens: Ist dieses doch auch integrierender Bestandteil der Wirtschaftsgesellschaft, regional gesehen vielfach von großer Bedeutung, bei den Großunternehmen auch aus der Sicht der gesamten Volkswirtschaft bzw. der staatlich organisierten Gesellschaft: Existenzsicherung bedeutet nicht Starre, nicht Stehenbleiben bei einer einmal festgelegten Produktions- und Dienstleistungsstruktur. Größtmögliche Mobilitätsbereitschaft, Reagieren auf die Anforderungen des Marktes (freilich nicht Mobilität um jeden Preis), ständige Suche nach neuen Produktionsmöglichkeiten und anderen unternehmerischen Aufgaben gehören wesentlich zur Existenzsicherung. Viele Konkurse und Ausgleiche könnten unterbleiben, wenn diese Ziele früh genug erkannt und verwirklicht worden wären.

Existenzsicherung des Unternehmens und Gewinnerzielung sind entscheidende „Zielfunktionen" des unternehmerischen Handelns, wie *Wilhelm Weber* hervorhebt.[53] In einer Zeit, in der eine überdimensionierte Unternehmensbesteuerung immer mehr überhand nimmt, wird diese erstrangige Zielsetzung immer schwieriger zu verwirklichen. Die alarmierend geringe Eigenkapitalbildung einer Vielzahl von Unternehmungen vor allem im Bereich der Klein- und Mittelbetriebe stellt eines der schwerwiegendsten Probleme für die moderne Wirtschaftspolitik dar, engt aber den unternehmerischen Entscheidungsspielraum in sehr bedeutendem Umfang ein. Hier ist auch eines der Hauptprobleme einer zukunftsweisenden Mittelstandspolitik für den Bereich der gewerblichen Wirtschaft begründet. Neben einer Einkommensteuerreform geht es um Erleichterungen vor allem bei den spezifischen Steuern für den Unternehmer, vor allem bei der Gewerbesteuer; ebenso müßten die Klein- und Mittelbetriebe in der Investitionsförderung mehr berücksichtigt werden.

Auf jeden Fall ist es eine erstrangige Aufgabe der Wirtschaftspolitik, die Unternehmer bei ihren Anstrengungen zu unterstützen, die längerfristige Existenz ihrer Betriebe abzusichern. Eine Wirtschafts- und Finanzpolitik, welche die Basis der betrieblichen Substanz gefährdet, ist der Natur der Sache nach gemeinwohlwidrig. Neomarxistische Ideen finden heute auch in der wissenschaftlichen Diskussion wieder mehr Eingang: Dies gilt etwa für den Versuch, in der Kapitalbildung ein Herrschaftsverhältnis des Arbeitgebers gegenüber dem Arbeitnehmer zu sehen oder den Leistungswettbewerb als „sinntötend" anzusehen.

Unternehmerethik muß realitätsbezogen bleiben: Es geht hier nicht um abstrakte Normen, die aus irgendwelchen theoretischen Leitsätzen abgeleitet werden, sondern immer wieder um Fragen einer Entscheidungsethik in konkreten Situationen. Aufgabe der Politik ist es, den Unternehmern einen ausreichenden Entscheidungsspielraum zu sichern, der ihnen echte Alternativen, vor allem aber Entscheidungen aus der Gewissensverantwortung heraus ermöglicht. Dies gilt etwa für Standortentscheidungen ebenso wie für einzelne Investitionsprojekte oder die Auswahl der Mitarbeiter.

Die Zielfunktion der Erzielung eines ausreichenden Gewinnes ist das entscheidende Indiz für die Beurteilung der Existenzchancen eines Unternehmens. Dabei kann freilich nicht aus einer kurzfristigen Betrachtungsweise auf die längerfristigen Entwicklungsmöglichkeiten eines Unternehmens geschlossen werden.

Es geht vor allem um eine kritische Beurteilung der finanziellen Basis eines Unternehmens, wenn man prüfen will, ob die unternehmerischen Entscheidungen richtig liegen. In diesem Sinn kommt es auf die finanzielle Konsolidierung an, auf die Eigenkapitalbasis. So weisen bedeutende Unternehmer immer wieder darauf hin, daß es als zukunftsweisendes Unternehmensziel nicht ausreicht, eine Gewinnmaximierung anzustreben, um größere Marktanteile anzupeilen, sondern daß neben diesen gewiß sinnvollen quantitativen Zielen auch das qualitative Element gesehen werden muß: eben die innere Stärkung des Unternehmens. Dies bedeutet einerseits die finanzielle Konsolidierung, andererseits eine langfristige personelle Konzeption, die Gewinnung ausreichend qualifizierter Mitarbeiter. Gerade bei größeren Unternehmen wird in der Kreativität zumindest eines Teiles dieser Mitarbeiter wie auch in ihrer Anpassungsfähigkeit eine wichtige Voraussetzung der Existenzgrundlagen des Unternehmens zu sehen sein. Wenn Ethik eine rationale Theorie des Handelns ist, dies besonders auch im Dienst der Allgemeinheit, dann geht es hier um zentrale Fragen der Unternehmerentscheidung sowohl im ökonomischen wie im ethischen Sinn.

Das soll nicht bedeuten, die Gewinnerzielung zu einer zweitrangigen Frage zu machen: ganz im Gegenteil. Gewinnerzielung ist auch die Voraussetzung für die Konsolidierung und die Erweiterung des Unternehmens, die nicht immer im Unternehmensziel enthalten sein muß, sich oft aber als sinnvoll und notwendig erweisen wird. *Wilhelm Weber* sagt dazu, der Unternehmer habe in einer dynamischen, wachsenden Volkswirtschaft die Pflicht, möglichst viel Gewinn zu erzielen. Dabei spricht er freilich nur eine vage Hoffnung aus, daß es gelingen wird, in einer breiten Öffentlichkeit die Verzerrung des „Profitdenkens" durch eine langjährige ideologische Diskussion, ausgehend vom Marxismus, zu entkrampfen.[54] Empirische Untersuchungen, so von Gilbert Norden, machen deutlich, daß in weiten Bevölkerungsschichten das Verständnis für die Notwendigkeit gewisser Einkommensunterschiede gegeben ist, dies freilich nicht in allen Schichten.[55]

Im Zusammenhang mit der Gewinnerzielung und einer längerfristigen Sicherung der Existenz des Unternehmens geht es auch darum, das betriebliche Rechnungswesen überschaubar und verständlich zu gestalten. Unternehmerethik ist immer wieder darauf hin abgestellt, unternehmerische Entscheidungen leichter zu machen, dies trotz aller Komplexität und Kompliziertheit der Materie, die diesen Entscheidungen zugrunde liegt. Dazu kann gewiß auch der Staat — etwa durch seine Publizitätsvorschriften — vor allem aber durch die Steuergesetzgebung Wesentliches beitragen. Wie sehr der Staat auch zur Unordnung beitragen kann, mag das Beispiel der DDR zeigen: Dort gibt es ein kompliziertes System zur Berechnung des Gewinnes. Dieser wird als „einheitliches Betriebsergebnis" bezeichnet; dabei gibt es ein Gliederungsschema etwa nach der folgenden Art: Gewinn aus Inlandsumsätzen, aus Exporterlösen, erhaltenen Exportstimulierungsmitteln, wie Exportunterstützungen, Exportrückvergütungen und Prämien, Produktions- und Dienstleistungsabgaben einberechnet. Die Inlandsumsätze (Preissumme der abgesetzten Erzeugnisse und Leistungen) werden zu Industrieabgabepreisen berechnet. Die Umrechnung der Exporterlöse in Inlandswährung erfolgt nach einem komplizierten Richtungskoeffizienten, der regional differenziert und seiner Höhe nach veränderlich ist. Da Löhne, Steuern, Gebühren und Zinsen, vor allem aber Preise weithin durch Kostennormative und Kalkulationsrichtlinien zentral festgelegt werden, kommen letztlich auch bei den als einheitlichem Betriebsergebnis bezeichneten Gewinn eher problematische Größen heraus.[56] Die zwangswirtschaftlichen Zielsetzungen und Ordnungssysteme der Oststaaten erweisen sich immer mehr als ungeeignet, die gesamtwirtschaftlichen Ziele zu erreichen. Die Reformen, die zurzeit in den Oststaaten zur Belebung der Wirtschaft und vor allem zur Ermunterung einer Eigeninitiative in gewissen Grenzen eingeleitet wurden, zeigen die Notwendigkeit, von Dirigismus und Zentralverwaltungswirtschaft wenigstens in Teilbereichen abzurücken. Wieweit Kompromisse allerdings ausreichen, wird erst die Zukunft zeigen.

Die Erhaltung der Existenz eines Unternehmens kann auch aus sinnvollen unternehmerischen Überlegungen heraus als nicht mehr zielführend angesehen werden. Marktwirtschaften sind durch eine hohe Mobilität und durch einen Wechsel von Unternehmungen, Zusammenschlüssen und auch Teilungen von Unternehmungen gekennzeichnet. Freilich zeigen sich auch Probleme besonderer Art: Es ist vor allem der Trend zu einer gewissen Konzentration in weiten Wirtschaftsbereichen, der nicht nur ein theoretisches Problem seit der Konzeption der Konzentrationstheorie durch *Karl Marx* darstellt: Vielmehr ist das Problem der Konzentration von Unternehmungen eine schwerwiegende Ordnungsfrage, die auch die Unternehmerethik berührt. Geht es doch darum, daß manche unternehmerische Entscheidungen nicht nur aus rational-ökonomischen Überlegungen getroffen werden können, sondern auch besondere ethische Motive beinhalten müssen. So zeigt sich immer wieder, daß gerade bedeutende Unternehmer sich über die Notwendigkeit der Erhaltung einer möglichst großen Zahl von Klein- und Mittelbetrieben im klaren sind. So werden auch die Inhaber oder Manager von Großunternehmen nicht jede Chance zum Ankauf kleinerer Unternehmen nutzen, auch wenn kurzfristige Überlegungen rein ökonomischer Art dafür sprechen. Vielmehr werden Unternehmerpersönlichkeiten, die sich der Bedeutung des gewerblichen Mittelstandes bewußt sind, in der Kooperation mit Klein- und Mittelbetrieben vielfach bessere Lösungen sehen als in der Fusion. Dies auch deshalb, weil der unternehmerische Entscheidungsprozeß in Großunternehmungen immer schwieriger wird. So mag es in vielen Fällen sinnvoll sein, Werksküchen nicht in Eigenregie zu führen, sondern durch Pächter oder selbständige Gastwirte, vor allem aber den Reparatur- und Service-Dienst für weite Bereiche des Betriebes ortsansässigen Handwerkern anzuvertrauen. Vor allem geht es um die vielen Bereiche des Zulieferungswesens, in denen sich zwischenbetriebliche Kooperation als sinnvoll erweist. In vielen Fällen werden es rational-ökonomische Überlegungen sein, die dafür sprechen, manchmal — oder in Grenzfällen — werden aber auch die gesellschaftspolitischen Zielvorstellungen der Unternehmensleitungen für die Heranziehung von anderen Unternehmungen, vielfach mittelständischen Betrieben, sprechen. Gewiß sind viele Unternehmenskonzentrationen in der modernen dynamischen Volkswirtschaft eine Notwendigkeit: Die Motive liegen vor allem in einer Rationalisierung des Produktionsprozesses, in Vorteilen bei der Realisierung wichtiger Forschungsvorhaben, in Erleichterungen der unternehmerischen Disposition und der Investitionsfinanzierung; die Nachteile sind vielfach die Gefahr einer Verminderung oder Ausschaltung des Wettbewerbs, die Entwicklung marktbeherrschender Unternehmen, die Bildung bürokratischer Institutionen und Organisationen, die Verminderung der Zahl der für den marktwirtschaftlichen Prozeß so wichtigen Zahl von selbständigen Unternehmern.

Es ist Aufgabe der staatlichen Wettbewerbsgesetzgebung, insbesondere von Kartellgesetzen, volkswirtschaftlich sinnwidrigen Zusammenschlüssen von Unternehmungen entgegenzutreten. Rechtliche Schranken erweisen sich freilich nicht immer als ausreichend. Viel bleibt dem Handlungsspielraum der betroffenen Unternehmensleitungen überlassen; dabei kommen auch Erwägungen aus der Sicht der Unternehmerethik zum Zug.

Gerade im Handel haben wir auch immer wieder Fälle, wo sich Konzentrationsvorgänge zum Nachteil der Nahversorgung nicht ausschließen lassen. Älteren Konsumenten wird nach Verdrängung von mittelständischen Handelsbetrieben durch Großunternehmen mit weitreichendem Filialnetz die Sicherstellung der laufenden Konsumbedürfnisse oft recht schwierig. Auch hier sind die Möglichkeiten, durch Nahversorgungsgesetze diesem Konzentrationsprozeß entgegenzuwirken, sehr gering.

Wenn Marktwirtschaft bedeutet, daß unendlich viele handelnde Anbieter eines Wirtschaftsgutes einer ebenfalls unendlich großen Zahl von Nachfragern gegenüberstehen, dann muß einer Unternehmenskonzentration in gewissem Umfang entgegengetreten werden.[57] Besonders gilt dies für den Fall einer vertikalen Unternehmenskonzentration, einer Fusion unterschiedlicher Branchen bzw. Produktionsstufen. In der Bundesrepublik Deutschland wurde vor einiger Zeit intensiv über die mögliche Beteiligung eines Luftfahrtunternehmens an einem bekannten Hotelkonzern diskutiert. In diesem Zusammenhang wurde darauf hingewiesen, daß dadurch das Luftfahrtunternehmen eine dominierende Stellung am deutschen Hotelmarkt aufbauen könnte. In diesem Sinn wollte die Interessenvertretung der Hoteliers von der Bundesregierung in Erfahrung bringen, ob es zu den Aufgaben des Luftfahrtunternehmens gehöre, sich einen Hotelkonzern „zuzulegen" und damit die mittelständische Hotelwirtschaft zu konkurrenzieren. Das Luftfahrtunternehmen würde dadurch am Hotelmarkt eine marktstarke, wenn nicht marktbeherrschende Stellung erlangen. Über das Reservierungssystem der Luftfahrtunternehmen wurde vor allem die Gefahr einer vertikalen Konzentration gesehen, da im Zusammenspiel von Fluglinie und Hotel immer mehr zusätzliche Leistungen und damit Marketing-Vorteile für die eigenen Hotels möglich würden. Es würde sich also nicht um eine bloße Beteiligung an einer Hotelgesellschaft handeln, sondern es könnten damit die Voraussetzungen zum Aufbau eines großen Hotelkonzerns geschaffen werden, und nicht mehr das Luftfahrtunternehmen und die Hotelgesellschaft getrennt voneinander operieren. Marktbeherrschend wäre dann nach Ansicht der Interessenvertretung der Hoteliers eine beherrschende Stellung des Luftfahrtunternehmens in der internationalen Hotelreservierung. Bei den deutschen Großstadthotels laufen derzeit schon etwa 35 % der Zimmerreservierungen über die Fluglinien. Die damit verbundene Verzerrung der Wettbewerbsstruktur könnte auch zur bewußten Ausschaltung bestimmter Hotels oder Hotelgruppen führen; damit könnten einzelne Unternehmen „übernahmereif" gemacht werden.[58]

6.3 Fairness im Wettbewerb

Eine noch so effektive Wettbewerbsgesetzgebung allein kann einen funktionsfähigen Wettbewerb nicht sicherstellen. Dazu bedarf es auch fairer und lauterer Methoden im Wettbewerb der Unternehmungen selbst. In kaum einem anderen Bereich unternehmerischer Entscheidungen spielen Fragen der guten Sitten und damit auch ethisch relevante Entscheidungskriterien eine so bedeutsame Rolle wie im Wettbewerbsverhalten. Wer die Gesetzgebung gegen den unlauteren Wettbewerb kennt, die im Mittelpunkt einer modernen Wettbewerbsordnung steht, weiß auch um die Grenzen rechtlicher Regelungen. Die bewährte deutsche und österreichische Gesetzgebung gegen den unlauteren Wettbewerb hat durch bestmöglich konzipierte Tatbestände und Generalklauseln einen wichtigen Beitrag zur Wettbewerbsordnung geleistet, ebenso hat die einschlägige Judikatur diese Bestimmungen durch zahlreiche Entscheidungen konkretisiert. Dennoch wird deutlich, daß funktionsfähiger Wettbewerb neben der rechtlichen Regelung in sehr weitem Umfang der Fairness der Unternehmer bedarf, eines Verständnisses für jene „Goldene Regel", daß jeder den anderen so behandeln soll, wie er selbst von anderen behandelt werden will. Gerade diese Goldene Regel hat in der Sozialethik immer eine hervorragende Rolle gespielt.[59]

Wolfgang Hefermehl umschreibt in seinem Kommentar zum deutschen Gesetz gegen den unlauteren Wettbewerb als solchen jene Wettbewerbshandlungen, die sittlich zu mißbilligen sind. Nicht der unübliche, unerwünschte oder unbequeme, sondern der den ständigen Gepflogenheiten in Gewerbe oder Handel zuwiderlaufende Wettbewerb solle mit dem Gesetz unterbunden werden, Maßstab sei das Anstandsgefühl des verständigen Durchschnittsmenschen.

Bei der Beurteilung eines wettbewerblichen Verhaltens dürfe nicht übersehen werden, daß es das Wesen des wirtschaftlichen

Wettbewerbs ausmache, Kunden zu gewinnen, auf die der Mitbewerber rechnet, oder ihm Kunden abzunehmen, die er schon hat. Ein harter Wettbewerb ist noch lange kein unlauterer! Wichtig sei, so betont *Hefermehl,* vom Wahrheitsgebot auszugehen. Es dürfen im Wettbewerb keine wahrheitswidrigen Behauptungen aufgestellt werden. Nur dann handelt es sich um echten Leistungswettbewerb, wenn Informationen über das tatsächlich Angebotene gebracht werden, nicht Scheininformationen, nicht wahrheitswidrige Formen der Waren- oder Dienstleistungswerbung angewandt werden.[60] Der Praxis mehr oder minder aller marktwirtschaftlich geordneten Staaten widersprechen auch Formen des Wettbewerbes, die auf direkte Behinderung des Konkurrenten hinauslaufen. In Wien wurden in einer bekannten Straße, in der Geschäfte Waren einer eher durchschnittlichen Qualität absetzen, solche Behinderungen durch „Fangwerbung", durch Abwerben der Konsumenten von Nachbargeschäften durch direkte Ansprache durchgeführt. In einer Vereinbarung aller in die Handelskammer geladenen Händler konnten solche Auswüchse unterbunden werden. Auch hier wurde an die Fairness der Unternehmer appelliert, wurde nicht gleich mit rechtlichen Konsequenzen gedroht, sondern die Chance einer gütlichen Vereinbarung über sinnvolle Begrenzungen des Wettbewerbs genutzt. Im allgemeinen kann man sagen, daß solche und ähnliche Vereinbarungen, sich an herkömmliche Vorstellungen eines fairen Wettbewerbes zu halten, bei den meisten Unternehmern auf großes Verständnis stoßen.

In Österreich wurde im Jahr 1977 ein Gesetz zur Verbesserung der Nahversorgung und der Wettbewerbsbedingungen beschlossen, das eine interessante Konkretisierung solcher Wettbewerbsregeln gebracht hat.[61] Danach können Verhaltensweisen von Unternehmern im geschäftlichen Verkehr untersagt werden, soweit sie geeignet sind, den leistungsgerechten Wettbewerb zu gefährden. Solche Verhaltensweisen sind insbesondere das Anbieten oder

Fordern, Gewähren oder Annehmen von Geld oder sonstigen Leistungen, auch Rabatten oder Sonderkonditionen zwischen Lieferanten und Wiederverkäufern, die sachlich nicht gerechtfertigt sind, vor allem, wenn zusätzlichen Leistungen keine entsprechenden Gegenleistungen gegenüberstehen.

Uns interessiert nicht so sehr die rechtliche Konzeption, sondern auch hier mehr die Notwendigkeit, faires Verhalten im Wettbewerb über die Rechtsordnung hinaus durch ethisch faßbare Normen sicherzustellen. In diesem Sinn wurden auch einige Wohlverhaltenskataloge bei der Bundeskammer der gewerblichen Wirtschaft erarbeitet. In einem dieser Dokumente wurde festgestellt, daß bestimmte Sachverhalte dem kaufmännischen Wohlverhalten widersprechen und geeignet sind, im Sinne des neuen Nahversorgungsgesetzes den leistungsgerechten Wettbewerb zu gefährden. Darunter fallen etwa Handgelder oder Spenden, denen keine Gegenleistung gegenübersteht, Beteiligung an Automations- und Rationalisierungskosten oder Deckungsbeiträge für Umsatzausfälle sowie übersteigerte Werbegeschenke.[62] Wettbewerbspolitik muß immer realistisch sein: Man mag einwenden, daß mit der Fixierung derartiger Vereinbarungen eine zu punktuelle und detaillierte Normierung erfolgt. Immerhin sind solche Vereinbarungen interessant, weil auch ihre Einhaltung nur möglich ist, wenn sich die beteiligten Unternehmer darüber im klaren sind, daß Wettbewerb grundsätzlich fair sein muß, daß sich eben bestimmte Formen eines lauteren Wettbewerbes in langer Zeit herausgebildet haben, die nicht ohne Nachteile durch eine gegenteilige Praxis aufgegeben werden können.

Auch die in Österreich so umstrittene Ladenschlußfrage bedarf zu ihrer Lösung entsprechender fairer Handlungsweisen. Eine Auflockerung der Ladenschlußzeiten zugunsten längerer Öffnungszeiten am Abend bedingt gewisse Vereinbarungen oder Anpassungen zwischen den einzelnen Unternehmen, um ein entsprechendes Angebot an offenstehenden Geschäften an den einzelnen

Werktagen sicherzustellen. In Österreich kommt dieser Frage gerade angesichts der Gegebenheiten im Städtetourismus große Bedeutung zu; für ein Fremdenverkehrsland sind Abweichungen vom internationalen Trend problematisch. Auf diesen Zusammenhang hat auch der Beirat für Wirtschafts- und Sozialfragen in seinem einschlägigen Gutachten hingewiesen: Während der Beirat von einer Auflockerung der Ladenschlußzeiten keine nennenswerte gesamtwirtschaftliche Nachfragevermehrung erwartet, werden solche Möglichkeiten wohl im Bereich des Städtetourismus bejaht.[63]

Funktionsfähige Wettbewerbsordnung kann nicht allein durch rechtliche Maßnahmen sichergestellt werden. Dies gilt auch für den Bereich der Produktionsplanung: Kann die Unternehmerethik auch Entscheidungshilfen hinsichtlich der Wahl der Produktionsziele vermitteln? Zunächst gibt es auch hier rechtliche Schranken, so die Gewerbeordnung. Darüber hinaus gibt es strafrechtliche Grenzen, wie das Verbot der Produktion und des Handels mit Rauschgift. Schwieriger ist das Problem rein ethischer Normierungen in diesem Zusammenhang. Denken wir etwa an Waffengeschäfte: Hier gibt es in einer Reihe von Staaten Begrenzungen des Exportes, vor allem in kriegführende Länder. Grundsätzlich hat aber der Unternehmer wie jeder andere Mensch sein gesamtes Handeln nach seinem Gewissen zu bestimmen. Dies wird auch für die Wahl der Produktions- und Dienstleistungsziele gelten. Der Unternehmer, der Waffen an Bürgerkriegsparteien liefert, macht sich ohne Zweifel vor seinem Gewissen schuldig, auch wenn staatliche Normen dies nicht behindern.

Im übrigen ist es eindeutig, daß der einzelne Unternehmer in seiner Produktions- und Absatzpolitik nicht verpflichtet ist, „zeitliche und sachliche Prioritäten zu setzen, die nur in einem übergeordneten, gesamtwirtschaftlichen Rahmen gesetzt werden können" *(Wilhelm Weber)*.[64] Gerade Erwägungen aus der Sicht der Unternehmerethik sprechen für den freien Unternehmer, möglichst frei eben in seinem Handlungs- und Entscheidungsspielraum. Dagegen ist es Aufgabe des Staates, gemeinwohlorientierte Begrenzungen der wirtschaftlichen Rahmenbedingungen zu setzen, aber nur insoweit, als sich sachliche Notwendigkeiten ergeben. *Wilhelm Weber* legt großen Wert auf die Feststellung, daß es bei diesen Erwägungen gar nicht darum gehe, einen besonders liberalen Standpunkt einzunehmen, sondern vielmehr darum, daß der Unternehmer seine Marktchancen nutzen muß; liberal ist ein Ordnungsbegriff für den gesamten wirtschaftlich-gesellschaftlichen Bereich.

Ähnliche Erwägungen gelten für jene Produktionsbereiche, die aus politischen — im besonderen wirtschaftspolitischen — Erwägungen Produktions- und Verteilungsbegrenzungen bzw. bestimmten Auflagen unterliegen. So wird die agrarische Marktordnung relativ weitreichende Einschränkungen des freien Handlungsspielraumes der davon betroffenen Unternehmer mit sich bringen. Hier ergeben sich aber keine besonderen Probleme für die Unternehmerethik: Die Unternehmer werden im Rahmen der gegebenen Möglichkeiten ihre Chancen nutzen.

6.4 Kreativität als Chance und Verpflichtung

Kreativität ist ein Grunderfordernis des unternehmerischen Handelns. Gewiß werden viele Unternehmer ihre Betriebe auch halten können, ohne besondere kreative Leistungen zu erbringen. Dies gilt etwa für viele — keineswegs alle — klein- und mittelbetrieblichen Unternehmen der Nahversorgung in günstiger Standortlage. Hier wird es vielfach darauf ankommen, den normalen Arbeitsrhythmus zu bewältigen.

Immerhin muß aber jeder Unternehmer eine gewisse Kreativität zumindest bei manchen Entscheidungssituationen beweisen. Auf jeden Fall gilt es für einen bedeutenden Teil der Unternehmer, wenn *Wilhelm Weber* hervorhebt, daß auf lange Sicht ein Unternehmer seine Zielfunktionen nicht erfüllen kann, ohne sich ständig zu wandeln und zu erneuern. In diesem Sinn sei das Unternehmen der Ort, von dem die wirtschaftliche und technische Dynamisierung der Gesellschaft ausgehe. Richtig ist, daß der ökonomisch-soziale Wandel immer wieder von dynamischen Unternehmern ausgeht. In diesem Sinn kann der Unternehmer Wesentliches zur Nutzenmaximierung beitragen, wie es eine utilitaristische Sicht hervorhebt. *Weber* stellt weiter heraus, daß ein Unternehmer, der sich Neuerungen widersetzt und seine Kraft nicht in den Dienst der Strategie der Entwicklung und des Fortschritts setzt, die Zielfunktion des Unternehmens verfehlen würde.[65] Wir sehen tatsächlich an Unternehmungen, die sich im Gemeineigentum befinden, daß schwerwiegende Verluste die Folge sind, wenn sie den technologischen Anpassungsprozeß nicht bewältigt haben — dies weithin, weil die unternehmerischen Entscheidungen durch politische Direktiven behindert wurden.

Heute wird auch den Wirtschaftspolitikern immer deutlicher, daß verstaatlichte und andere im Gemeineigentum stehende Unternehmen den gleichen Grundsätzen für die unternehmerischen Entscheidungsmöglichkeiten unterliegen müssen, daß ihr Management nicht durch direkte Eingriffe politischer und administrativer Stellen behindert werden darf. Ebenso klar wird, daß es eine der grundlegenden Aufgaben der Wirtschaftspolitik ist, die Innovation durch steuerliche und andere Förderungsmaßnahmen zu begünstigen und zu erleichtern. Vor allem geht es darum, durch diese Förderungen gezielte Impulse für die Investitionen in den Bereichen Forschung, Entwicklung und Innovation zu geben.

In diesem Sinn stellt das Grundsatzprogramm der österreichischen Handelskammerorganisation fest, daß eine wirtschaftsbezogene Forschungspolitik integrierender Bestandteil der allgemeinen langfristigen Wirtschaftspolitik ist. Aufbauend auf der

Grundlagenforschung sei die betriebliche Forschung Voraussetzung für den Innovationsprozeß.[66] Gewiß können und müssen nicht alle Betriebe forschen: Die Möglichkeiten der Innovation zu nutzen, bleibt aber ein entscheidendes Erfordernis. Unternehmerethik will vor allem die Chancen des Unternehmers herausstellen, seine persönlichen Möglichkeiten ebenso wie die seines Unternehmens optimal zu nutzen. Der Mensch erfüllt und verwirklicht seine existentiellen Lebenszwecke vor allem dadurch, daß er seine schöpferischen Möglichkeiten erkennt und nutzt: Es sind vor allem auch Fähigkeiten intuitiver Art, wie sie für viele Unternehmer kennzeichnend sind, die einfach aus konkreten Situationen heraus handeln, gewiß rational, aber vielfach auch im intuitiven Erfassen einer konkreten Möglichkeit. Es geht um die Nutzung einer Chance des Menschen, einer Denkfähigkeit, „seiner selbst bewußt zu werden und im Wissen um seine freie Handlungsbestimmung schöpferisch zu entscheiden" *(Rudolf Weiler)*.[67]

Es geht aber nicht nur darum, daß der Unternehmer in besonderer Weise angesprochen ist, die Herausforderung der technischen Entwicklung zu bewältigen. Gerade die Notwendigkeit einer ständigen Anpassung an neue Gegebenheiten im technologischen Wandel, ebenso aber die Tatsache, daß auch die Gesellschaft einem umfassenden ökonomischen und sozialen Wandel unterliegt — all das bedeutet nicht nur Belastungen durch Anpassungsprozesse, sondern auch Chancen, gerade für den Unternehmer. In diesem Sinn geht es darum, mit Hilfe gerade der neuen technologischen Möglichkeiten auch die unternehmerischen Aufgaben zu bewältigen. Die menschliche Rasse erweist sich „als flexibel genug, sich neuen Situationen anzupassen" *(Klaus Heilmann)*.[68] Gerade der Unternehmer ist in besonderer Weise auf die Kreativität hin gefordert: Es ist dies eine Erscheinungsform jener allgemeinen Chance des Geistigen, die dem Menschen gegeben ist.

Die Unternehmerethik weist auf die sich immer neu stellende Notwendigkeit hin, sich dieser kreativen Fähigkeiten des unternehmerischen Menschen bewußt zu werden, die sich daraus ergebenden Chancen im eigenen Interesse wie in dem des Gemeinwohls zu nutzen und bestmögliche betriebliche Entwicklungen zu ermöglichen.

6.5 „Neue" Ethik

Es wurde deutlich gemacht, daß sich gerade in der Wirtschaftsgesellschaft immer neue Probleme stellen. Für unsere Zeit gilt dies besonders für das wachsende Umweltbewußtsein. Es bildet sich hier eine „neue" Ethik heraus, eine Umweltethik, die zwar alle Menschen angeht, den Unternehmer aber in besonderer Weise betrifft: Hat er doch gerade in Fragen des Umweltschutzes eine besondere Verantwortung. *Heribert Lehenhofer* sieht in einer schrankenlosen Expansion der Wirtschaft eine Gefährdung der optimalen Entfaltung des Menschlichen: Dieser handelnde Mensch habe sich immer seiner Grenzen bewußt zu werden. Er solle die Welt beherrschen, aber nicht „in autonomer Selbstbestimmung", sondern in einer Gesamtverantwortung. Der Mensch habe die Verpflichtung, „diesen seinen Lebensraum auch für künftige Generationen zu erhalten und nicht zu zerstören"! In diesem Sinn müsse einer Entfremdung des Menschen von der Natur entgegengewirkt werden. Der Mensch sei in eine Ordnung hineingestellt, „mit der ihm auch Grenzen vorgegeben sind"; überschreitet er diese, wird er zum Zerstörer dieser ihm anvertrauten Welt. Man dürfe nicht um kurzfristige Vorteile willen schwerwiegende Fehlentwicklungen verursachen.[69]
Hier sind wir tatsächlich beim Kern eines Denkansatzes für die Unternehmerethik. Es ist Aufgabe des Staates, durch eine sinnvolle und zukunftsweisende Umweltgesetzgebung auch für die Unternehmungen entsprechende Auflagen zu bestimmen, welche eine

Erhaltung und Sicherung einer lebenswerten Umwelt verbürgen können. Hat aber nun auch der Unternehmer grundsätzliche Aufgaben der Beschränkung seiner Aktionsmöglichkeiten, die über diesen rechtlichen Rahmen hinausgehen? Können solche Begrenzungen des unternehmerischen Handlungs- und Entscheidungsspielraumes angesichts harter Konkurrenz hingenommen werden?

Das alles sind schwerwiegende Fragen: Grundsätzlich muß man hier auch von der allgemeinen Ethik ausgehen, die alles menschliche Handeln unter die Gewissensverantwortung stellt. Dies gilt auch für jene Handlungen, die Einfluß auf die Entwicklung der Lebensumwelt des Menschen haben. Der Unternehmer hat hier weitgehend eine überdurchschnittliche Verantwortung: Freilich gilt auch dies nicht für alle Unternehmer: Der Inhaber eines Einzelhandelsgeschäftes wird vielfach die Umwelt wenig beeinflussen. Für ihn ergibt sich ein eher geringerer Verantwortungsbereich. Produktionsbetriebe, vor allem jene mit hohen Emissionen, sind aber eindeutig in eine weitreichende Verantwortung einbezogen. Nun zeigt sich auch hier — ähnlich wie bei den Fragen des unlauteren Wettbewerbes —, daß sich einer rechtlichen Normierung gewisse Grenzen setzen. Der verantwortungsbewußte Unternehmer wird Umweltschädigungen auch dann vermeiden, wenn sie rechtlich nicht geahndet werden, soweit die betrieblichen Voraussetzungen dafür in technischer und finanzieller Hinsicht gegeben sind.

Eine „neue" Ethik ist freilich kaum gegeben: Immer wieder ergeben sich neue Fragestellungen, je nach der wirtschaftlichen und technischen Entwicklung. So gesehen, ist auch die Umweltethik nur eine Erweiterung des ethischen Horizonts, bedeutet sie Konfrontation mit neuen Problemen und Fragestellungen. *Michael Landmann* stellt fest, daß sich der Radius der Zerstörung der Umwelt in den letzten Jahrzehnten sehr vergrößert hat und in naher Zukunft weiter zunehmen wird: Daher müßte auch der Radius der

Ethik wachsen. Weil neue Sphären neuer Anwendungsgebiete der Ethik gegeben sind, genügen rein quantitative Bestimmungen nicht mehr, es würde sich auch die Qualität der Ethik ändern. Der Mensch nimmt heute eine so beherrschende Stellung im Weltgeschehen ein, daß auch die Verantwortung entsprechend gewachsen sei. *Landmann* meint aber eine qualitative Veränderung: Die Aufgabe dieser neuen Ethik bestehe nun auch darin, Grenzen für die „Welterzeugung" — also die weitere Entwicklung — aufzuzeigen.[70]

Eine so weit gespannte Konzeption einer neuen Ethik würde allerdings den Unternehmer überfordern. Es mag richtig sein, daß heute weite Dimensionen einer zukunftsweisenden Ethik gegeben sind: Diese fordert aber vor allem von den verantwortlichen politischen Kräften gemeinwohlorientierte Entscheidungen. Unternehmerethik konzentriert sich auf die Möglichkeiten des einzelnen Unternehmers: Dieser hat im Durchschnitt eine erhöhte Verantwortung — insofern eine quantitativ erfaßbare Verantwortung im Vergleich zum einfachen Staatsbürger, etwa dem durchschnittlichen Arbeitnehmer.

Der Zukunftsforscher *Johann Millendorfer* stellt fest, daß die Ursachen der Umweltprobleme in nicht umweltkonformen technologischen Konzepten liegen, deren negative Nebenwirkungen so lange vernachlässigt wurden, bis die mit der Wirtschaftsexpansion wachsende technische Beeinflussung der Umwelt solche Ausmaße angenommen hat, die zu einem Umdenken zwingen. Man könne nicht mehr von der Voraussetzung ausgehen, daß der Planet Erde — verglichen mit den Dimensionen unserer technischen Aktivitäten — praktisch unendlich groß und unbegrenzt sei.[71]

Der Pionierunternehmer der vergangenen Zeit hat sich als Eroberer gefühlt, hat auch neue Räume wirtschaftlich erschlossen, weithin unbekümmert um Nebenwirkungen. So wurden Wälder gerodet, weite Gebiete Versteppungen preisgegeben und andere Schäden einer rücksichtslosen wirtschaftlich-technischen Expansion in Kauf genommen. Heute zeigen sich hier sehr deutliche Begrenzungen, aus denen aber eben Erweiterungen unserer Verantwortungsbereiche resultieren.

Ganz allgemein geht es heute um die „Nutzbarmachung neuer Strategien als Strategien des Überlebens" *(Helmut Beran)*: Hier ist der Unternehmer in besonderer Weise angesprochen. *Beran* nennt als Beispiel die Notwendigkeit der Gewinnung von Auswegen in der Energieversorgung für den Fall, daß gewohnte Möglichkeiten nicht mehr zur Verfügung stehen. In diesem Sinn müßten immer mehr alternative Energieformen nutzbar gemacht werden, um einseitige Abhängigkeiten zu überwinden: Sonnenenergie, Einsatz von Biomasse und anderes.[72] Hier spielen umweltpolitische Erwägungen eine immer größere Rolle. Gerade Österreich mit seiner weltweit beachteten Kernenergiediskussion kann hier einiges über den Zusammenhang von Energiepolitik und Umweltschutz beitragen. Die skeptische Haltung vor allem vieler junger Menschen gegenüber bestimmten Formen des technischen Fortschritts zwingt in vielen Bereichen zu alternativem Denken: Das geht auch die Unternehmer an, die sich mit Realitäten der öffentlichen Meinungsbildung abfinden müssen. Die Suche nach alternativen Lebensformen schafft auch neue unternehmerische Möglichkeiten: Nutzt ein Land etwa die Kernenergie nicht, müssen andere Formen der Energiewirtschaft aufgebaut und weiterentwickelt werden. Aus der Sicht der Unternehmerethik geht es immer wieder darum, sich nach kritischer Prüfung gegebener Möglichkeiten für optimale Nutzung der Chancen des Unternehmers einzusetzen.

Gerade von jungen Menschen — auch von Unternehmern — wird immer wieder beklagt, daß die politischen Systeme immer weniger in der Lage sind, „langfristige Probleme anzugehen" *(Andreas Unterberger)*.[73] Wenn die Aktivitäten allzu kurzfristig mehr auf die nächsten Wahltermine ausgerichtet würden, wenn Kompetenzen der Ministerien und anderer Entscheidungsträger zu sehr zu einem sektoralen und damit partiellen Denken führen, können keine Langzeitkonzepte reifen. Gerade der Unternehmer wird derartige Mängel besonders nachhaltig empfinden, ist er doch gezwungen, seine eigenen Planungen weithin nach denen des Staates auszurichten. So müssen die Unternehmer auch zu Mahnern werden, daß die zuständigen staatlichen Stellen sich mehr dieser Verpflichtung zur Langzeitkonzeption bewußt werden.

Es zeigt sich heute immer deutlicher, daß in der Umweltproblematik sehr beachtliche politische Sprengkraft liegt. Die alternativen Gruppierungen und die damit verbundenen politischen Parteien neigen zum Teil zu einer gewissen Radikalisierung. Dabei werden auch weitgehend die Unternehmer generell zu den hauptverantwortlichen Kräften der Umweltzerstörung gemacht. Es kommt zur Entwicklung „emotionalisierter Feindbilder" *(Valentin Zsifkovits),* auf jeden Fall zu sehr irrational bestimmten politischen und ideologischen Auseinandersetzungen. *Zsifkovits* hebt hervor, daß eine besondere Art dieses emotionalisierten Feindbildes der „Sündenbock" sei: Damit werde ein Mechanismus in Gang gesetzt, bei dem bestimmte Personen oder Gruppen für die Ursachen von Fehlentwicklungen und Konflikten verantwortlich gemacht werden, vor allem in der öffentlichen Propaganda als Schuldige abgestempelt werden. Die wahren Schuldigen werden dadurch entlastet.[74]

Wer die harten Angriffe von fanatischen „Umweltschützern" auf die Unternehmer kennt, wer die ideologisch und keineswegs rational geführte Umweltdiskussion mit ihren unternehmerfeindlichen Agitationen verfolgt, wird hier ein anschauliches Beispiel für die Sündenbock-Praxis finden.

Ethik ist nicht zuletzt auf die Wahrheit und Gerechtigkeit hin abgestellt:

So wird es auch zur Pflicht der Unternehmer und ihrer Organisationen, für mehr Sachlichkeit in der Umweltdiskussion Sorge zu tragen, vor allem mehr Informationen über die Gesamtzusammenhänge zu bieten und damit den Verantwortungsbereich der Unternehmer von dem anderer Entscheidungsträger, vor allem der öffentlichen Hand, abzugrenzen.

Japan kann als Land gelten, das dem Umweltschutz zwar relativ spät eine hohe Priorität eingeräumt hat, dann aber mit enormer Energie die damit verbundenen Probleme angegangen hat. Die großen Erfolge waren nur möglich, weil die Unternehmer im Umweltschutz auch eine unternehmerische Chance gesehen haben, vor allem eine umfassende Umwelttechnologie zu entwickeln und damit neue unternehmerische Impulse auszulösen. Ein hochrangiger Kenner dieser japanischen Entwicklung, *Shuhei Aida,* hat vor kurzem darauf hingewiesen, daß wir zur Vorbereitung des nächsten Jahrhunderts eine technologische Philosophie brauchen, welche die Koexistenz von Ökologie und Technologie einschließt.[75] Eine solche Öko-Technologie ist zweifellos eine große Herausforderung, aber auch eine Chance des freien Unternehmertums!

In Japan waren diese Erfolge nur möglich, weil es gelungen ist, nicht nur die Unternehmer für eine umfassende Umweltstrategie zu gewinnen, sondern auch durch umfangreiche Informationskampagnen die Mehrheit der Bevölkerung mit den Zukunftsfragen des Umweltschutzes vertraut zu machen. *Otto Kimminich* zeigt die umfassende Verantwortung des Menschen für seine Umwelt auf;[76] in diesem Sinn ergibt sich eine klare Forderung. Die Bildungs- und Öffentlichkeitsarbeit müßte auf derzeitige und künftige Gefahren für die Umwelt aufmerksam machen und die Bürger von der Notwendigkeit eines aktiven Umweltschutzes überzeugen.

Hier liegt auch die Chance für den Konfliktausgleich: Umweltfragen können weite Bevölkerungsgruppen zu harten Protesthaltungen veranlassen.

Heinrich Schneider spricht als Voraussetzung für eine funktionsfähige Friedensordnung von der Notwendigkeit eines Bewußtseinswandels als Vernunftgebot:[77] Dies gilt sowohl für die internationale wie für die innerstaatliche Friedensordnung. Für die Unternehmer ergibt sich als Zukunftsaufgabe nicht nur eine Mitwirkung an diesen Informationsaktionen, nicht nur eine Wahrnehmung der Aufgaben des Umweltschutzes in den eigenen Betrieben, sondern im besonderen auch ein gewisser Bewußtseinswandel in den Kategorien des Wachstumsdenkens. Seit der Club of Rome zu einer Abkehr von der früher so verbreiteten Wachstumsideologie aufgerufen hat, ist in der Wirtschaftspolitik vieler Staaten eine vorsichtigere Einstellung gegenüber dem Ziel des wirtschaftlichen Wachstums eingetreten. Es geht heute angesichts einer hohen Arbeitslosigkeit gewiß auch um ein maßvolles wirtschaftliches Wachstum, dies aber im Rahmen der nicht minder wichtigen Zielsetzung der Erhaltung einer lebenswerten Umwelt. Das bedeutet freilich nicht, daß auch der einzelne Unternehmer für die Entwicklung der maßgebenden Zielsetzungen für sein Unternehmen auf Expansion verzichten muß: Der Unternehmer wird aber diese veränderte Grundeinstellung in der Wirtschafts- und Gesellschaftspolitik der modernen Industriestaaten zur Kenntnis nehmen müssen und bei seinen eigenen Planungen als grundsätzliches Bestimmungsmerkmal mit berücksichtigen müssen. Es geht heute längst nicht mehr um Wachstum um jeden Preis.

Auf jeden Fall muß der Unternehmer Verständnis für eine aktive und zukunftsweisende Umweltpolitik aufbringen. Dabei geht es vor allem um eine wirksame Absicherung gegen die Landschaftszerstörung, so insbesondere auch gegen das Waldsterben. Maßnahmen gegen die Luftverunreinigung im Bereich der Produktion, des Verkehrs und des Wohnens sind ebenso damit verbunden wie gegen Lärmentwicklung durch Mindestvorschriften für entsprechende technische Anlagen. Gewiß sind vielfach die Übergangsbestimmungen für die bereits vorhandenen Anlagen zu kurz, Immissions- und Emissionsbegrenzungen bedürfen sorgfältiger sachlicher Prüfungen. Weiters geht es um rationale Wiederverwertung von Rohstoffen: Gerade im Recycling wird eine der wichtigsten zukunftsweisenden Maßnahmen der Umweltpolitik zu sehen sein. In Gebirgsländern wie Österreich und der Schweiz werden Sicherungsmaßnahmen für die Berggebiete immer wichtiger: Bergbauernhilfen sind hier ebenso sinnvoll wie eine Förderung genossenschaftlicher Zusammenarbeit in diesen Regionen. Der umfassende Gewässerschutz — nicht zuletzt internationale Vereinbarungen über den Umweltschutz bei Flüssen und Meeren — sind ebenso vordringlich. In Österreich wurden in manchen Bereichen, so in der Sanierung von Seen, schon beachtliche Erfolge erzielt.

Unternehmerethik bedeutet — wie immer wieder hervorgehoben wurde —, daß die Unternehmer auch real die Möglichkeit haben, Entscheidungen aus ihrer Gewissensverantwortung zu treffen. Darauf hat die Umweltpolitik ebenso Rücksicht zu nehmen wie andere Bereiche der Wirtschafts- und Sozialpolitik: Überforderungen durch Auflagen im Interesse des Umweltschutzes, die den Unternehmer finanziell zu sehr belasten, sind der Natur der Sache nach sinnwidrig: Hier müssen entsprechende Ausgleichsmaßnahmen gefunden werden, so eine öffentliche Förderung direkter Art oder weitreichende Steuerbegünstigungen. Dafür gibt es in einer Reihe von Staaten, so auch in der Bundesrepublik Deutschland und in Österreich, bewährte Modelle. Vor allem geht es beim Umweltschutz immer auch um eine Berücksichtigung der internationalen Wettbewerbsfähigkeit: Sonst kommt es über den Zusammenbruch von Unternehmungen und den Verlust von Arbeitsplätzen zu anderen gemeinwohlwidrigen Fehlentwicklungen.

Umweltpolitik kann aus allen diesen Gründen nur in Langzeitkonzepten entwickelt werden. Diese Konzepte bedürfen der Mitwirkung entsprechender sachkundiger Experten, vor allem aus der Wirtschaft. Hier ist eine der wichtigsten Aufgaben auch der Interessenvertretungen der Unternehmer gegeben: In diesem Sinn weist auch das Grundsatzprogramm der österreichischen Handelskammerorganisation dem Umweltschutz eine vorrangige Position zu.

6.6 Die Investition als zentrale unternehmerische Entscheidung

Im Mittelpunkt der Entscheidungen der Unternehmer stehen diejenigen, die sich auf die Investitionstätigkeit beziehen. Investition bedeutet eine mittel- und langfristige Bindung von Kapital, die Entscheidungen über die Investition „bilden einen wichtigen Teil der Unternehmenspolitik und bedürfen einer sehr eingehenden Planung, denn sie legen die Unternehmen für viele Jahre fest" *(Horst Eckhardt)*.[78] Tatsächlich sind Fehldispositionen über Investitionen immer wieder existenzgefährdend. In der Investitionsentscheidung wird der Unternehmer schöpferisch tätig, setzt er die Grundlagen für die zukünftige Entwicklung seines Unternehmens. Entscheidungen über die Investitionstätigkeit müssen daher von jenen getroffen werden, die dafür letztlich auch haften. Geteilte Verantwortung erweist sich dabei als schwierig: Vor allem können Meinungsverschiedenheiten über Investitionsfragen ernste Folgen haben. Daher kann für Entscheidungen über die Investition nur eine eindeutige Kompetenz der Unternehmensleitung gegeben sein. Gewiß ist die Investitionsentscheidung eine rational-ökonomische. Es gibt aber in gewissem Umfang auch eine Unternehmensphilosophie: Diese besteht in der Gesamtheit der grundsätzlichen ökonomischen, gesellschaftlichen und ethischen Werte und Zielvorstellungen der Unternehmensleitung bezüglich des Unternehmens und seiner wesentlichen Aufgaben.[79] Zweifellos wirken neben den ökonomischen Motiven auch solche darüber hinausgehende mit: Dynamische Unternehmer haben sich bestimmte Ziele gesetzt, die sie mit diesem Unternehmen erreichen wollen. Die konkrete Investitionsplanung geht von diesen

Zielen aus, dies freilich — wenn sie sachlich und gut fundiert sein soll — unter maßgebender Berücksichtigung der wirtschaftlichen Gegebenheiten im Unternehmen. Die Unternehmerethik kommt aber hier auch zur Geltung: Es geht auch um ethisch relevante Werte, die bei der Konzeption der grundsätzlichen und langfristigen Unternehmensziele, die der Investitionstätigkeit zugrunde liegen, mit zu berücksichtigen sind.

In der Mitbestimmungsdiskussion unserer Zeit sind vor allem die Fragen der wirtschaftlichen Mitbestimmung umstritten, weniger diejenigen der sozialen und personalen in Betrieb und Unternehmen. Auch einer Sozialdoktrin wie der Katholischen Soziallehre, die von wesenhaften ethischen Werten ausgeht, erscheinen hier deutliche Grenzen für die Mitbestimmung gegeben zu sein.

So hat schon Papst *Pius XII.,* der sich eingehend für Mitbestimmung der Arbeitnehmer eingesetzt hat, darauf hingewiesen, daß der Eigentümer von Produktionsmitteln innerhalb der Grenzen des öffentlichen Wirtschaftsrechtes entscheidungsfrei sein müßte. Man dürfe nicht in den Fehler fallen, die Verfügungsgewalt über die Produktionsmittel der persönlichen Verantwortung des privaten Eigentümers zu entziehen, um sie jenen von anonymen Kollektivformen zu übertragen. Der gleiche Papst hat allerdings auch gesagt, daß die wirtschaftliche und soziale Funktion, die jeder Mensch erfüllen möchte, es verlangt, daß seine Tätigkeiten nicht völlig dem Willen eines anderen untergeordnet seien.[80] Papst *Johannes XXIII.* sagt dazu in Mater et Magistra, daß eine wirksame Einheitlichkeit der Leitung des Unternehmens nicht zur Folge habe, daß jene, die in diesen Betrieben arbeiten, Untertanen oder stumme Befehlsempfänger sein sollten, ohne das Recht, eigene Wünsche und Erfahrungen geltend zu machen.[81] Hier liegen die Möglichkeiten eines tatsächlichen Mitwirkens der Arbeitnehmer an Investitionsentscheidungen: Informationsgespräche werden auch im Interesse der Unternehmensleitung liegen, ohne daß rechtlich fixierte Mitbestimmungsmodelle eingeführt werden.

Selbstverständlich gibt es viele andere Entscheidungen im Unternehmen, die in gemeinsamer Verantwortung erfolgen, vor allem im sozialen und personalen Bereich. Darauf verweist auch die Pastoralkonstitution über die Kirche in der Welt von heute des II. Vatikanischen Konzils, wenn sie von der aktiven Beteiligung aller an der Unternehmensgestaltung unter größter Bedachtnahme auf die besonderen Funktionen des einzelnen, sei es der Eigentümer, der Arbeitgeber, der leitenden oder der ausführenden Kräfte und unbeschadet der einheitlichen Werkleitung spricht.[82]

6.7 Der Unternehmer und seine Mitarbeiter

Weitreichende Fragestellungen ergeben sich für die Unternehmerethik im Verhältnis des Unternehmers zu seinen Mitarbeitern. Wie viele andere unternehmerische Entscheidungen lassen sich die mit diesen Beziehungen verbundenen Fragestellungen nicht allein nach ökonomisch-rationalen Grundsätzen bewältigen.

Der Mitarbeiter ist ebenso wie der Unternehmer Person, also ein durch Menschenwürde und Eigenverantwortung bestimmtes Wesen. Die Fähigkeit zur Selbstverwirklichung und die Bereitschaft, Verantwortung zu übernehmen, sind auch für den Unternehmer Gegebenheiten, die er bei der Gestaltung seiner Beziehung zum Mitarbeiter berücksichtigen muß. Die vielschichtigen und sich immer mehr differenzierenden Aufgaben in den mittleren und größeren Unternehmen zwingen die Unternehmensleitungen immer mehr, verantwortungsbewußte Mitarbeiter heranzuziehen, denen in gewissem Umfang auch mehr Handlungs- und Entscheidungsspielraum in ihrer Arbeit eingeräumt werden muß.

Betriebe und Unternehmen sind nicht nur technisch-organisatorische Einheiten, sondern auch gesellschaftliche Gebilde mit eigenverantwortlichen Menschen und klar gegebenen Verantwortungsbereichen. In diesem Sinn zeigt sich heute weithin ein gesteigertes Wertgefühl der Mitarbeiter, aber auch ein erhöhtes Ausmaß an Anforderungen an das Ausbildungsniveau.

Es zeigt sich immer wieder, daß zwischen den Zielsetzungen der Unternehmer und ihrer Mitarbeiter auch größere Unterschiede gegeben sein können: Gewiß ist der durchschnittliche Arbeiter oder Angestellte nicht in gleicher Weise an einem Engagement im Betrieb interessiert: Im Vordergrund stehen bei nicht wenigen Einkommens- und Freizeitinteressen. Dennoch verbindet Unternehmer und Arbeitnehmer ein sehr deutliches gemeinsames Interesse am Wohlergehen der Unternehmung. Dazu kommt, daß Unternehmer und Mitarbeiter ihre berufliche Lebenserfüllung in gewissem Umfang nur in gemeinsamer Verbundenheit finden können: Es ist weithin ein Verhältnis gegenseitiger Abhängigkeit gegeben.

Gewiß gibt es — insbesondere in größeren Unternehmungen — auch immer wieder Konflikte: Die Konfliktbewältigung in den Betrieben und Unternehmungen gehört zu den wichtigsten Aufgaben einer zielbewußten Unternehmensführung.

Bei dieser Konfliktschlichtung sollen die unterschiedlichen individuellen Interessen der am betrieblichen Geschehen beteiligten Personen und Gruppen auf das Unternehmensziel hin ausgerichtet werden.[83] Es haben sich gewisse bewährte Modelle für innerbetriebliche Schlichtung herausgebildet. Auf jeden Fall können regelmäßige Kontaktgespräche zwischen Unternehmensleitung und betrieblicher Interessenvertretung, den Betriebsräten oder Vertrauensmännern der Belegschaft, die Möglichkeit zum Konfliktausgleich verbessern; dadurch werden überbetriebliche Schlichtungseinrichtungen entbehrlich.

Für die Gestaltung bestmöglicher Beziehungen zwischen Unternehmern und Mitarbeitern geht es immer darum, das Leistungsprinzip mit der Mitmenschlichkeit zu verbinden. *Elisabeth Liefmann-Keil* spricht sich für eine sinnvolle Kombination des Leistungsprinzips mit dem Bedarfsprinzip[84] aus: Das Leistungsprinzip ist für eine marktwirtschaftliche Ordnung unverzichtbar; wenn Kompromisse zugunsten des Bedarfsprinzips eingegangen werden, dann aus dem Bemühen heraus, das Mitarbeiterverhältnis zu verbessern und humane Zielsetzungen mit den Unternehmensinteressen zu verbinden.

Hat der Unternehmer auch eine Mitverantwortung für die Überwindung einer vorhandenen Arbeitslosigkeit? Die Unternehmerethik konzentriert den Verantwortungsbereich des einzelnen Unternehmers auf den Bereich des Unternehmens. Dennoch kann in einer verbreiteten Arbeitslosigkeit eine besondere Herausforderung für den Unternehmer liegen. Sind mit einer größeren Arbeitslosigkeit doch auch Gefahren für das freiheitliche Wirtschaftssystem und die stabile politische Ordnung verbunden, die dem Unternehmerinteresse zuwiderlaufen. In der Zeit einer zunehmenden Nutzung des technischen Fortschritts aus der Mikroelektronik ist die Gefahr einer zumindest vorübergehenden Arbeitslosigkeit größer.

Dem wird auch der einzelne Unternehmer aus seiner Gesamtverantwortung heraus entgegenwirken wollen: Wieweit hier Verpflichtungen bestehen, muß der Gewissensverantwortung des einzelnen Unternehmers überlassen werden, freilich auch seinen ökonomischen und finanziellen Möglichkeiten.

Rolf Kramer weist auf die besonderen Nachteile der Jugendarbeitslosigkeit hin: Hier sind Folgen negativer Art oft für das ganze Leben nachweisbar, vor allem Mutlosigkeit, Resignation, Existenzangst. Die Unternehmer sind an einer guten Ausbildung der Jugend ebenso interessiert wie an günstigen persönlichen Voraussetzungen für das Berufsleben der jungen Menschen. In diesem Sinn wird jeder Unternehmer auch eine gewisse Mitverantwortung für die Beschäftigungssituation insgesamt tragen.[85]

Arthur Rich spricht von der Möglichkeit und Chance, bestehende einseitige Abhängigkeiten abzubauen und in gegenseitige zu verwandeln. Hier kann eine Umsetzung der Mitmenschlichkeit in den Unternehmens- und Betriebsstrukturen angestrebt werden. Statt Untergebene zu bloßen Befehlsempfängern zu machen, sollen sie einen echten Anteil an der Verantwortung im betrieblichen Geschehen erhalten und damit die Möglichkeit bekommen, sich sowohl für die Ausführung wie für die dispositive Vorbereitung der Arbeit mitverantwortlich zu fühlen. Nur auf diesem Weg hält es *Rich* für möglich, das Mitmenschliche in die betrieblichen Strukturen eingehen zu lassen und nicht auf den schmalen Raum der unmittelbar-personellen Beziehungsverhältnisse einzuengen.[86]

Egon Tuchtfeldt spricht von einer besseren Berücksichtigung der Tauschgerechtigkeit, der kommutativen Gerechtigkeit: Alle am Wirtschaftsprozeß beteiligten Gruppen und Personen sind in gewissem Umfang aufeinander angewiesen, sie sind durch ein vielfältiges soziales Interaktions- und Kommunikationsnetz miteinander verbunden. Zur wirtschaftlichen Verantwortlichkeit komme die soziale: *Tuchtfeldt* nennt sie eine anerkannte neue Form unternehmerischer Legitimation.[87] Soziale Mitverantwortung wird so zu einem wichtigen Anliegen der Unternehmerethik.

Es ist ein tragender Grundsatz der traditionellen Ethik, daß Gerechtigkeit als Zustand einer Ausgeglichenheit in der Gesellschaft bedeutet, „jedem das Seine" zukommen zu lassen. Dieser Grundsatz des „suum cuique" ist zunächst nur eine formale Absicherung. Für den Unternehmensbereich kann diese Form aber sehr inhaltsreich werden, wenn Unternehmensleitung und Belegschaft die Arbeitsplatzplanung, den Einsatz und die Verwendung der Mitarbeiter soweit abstimmen, daß optimale betriebliche und persönliche Bedingungen dabei herauskommen.

Eine besondere Bedeutung kommt im Rahmen dieser Gerechtigkeitspostule der Lohnbildung zu. In den modernen Volkswirtschaften macht heute der Anteil der Löhne am Volkseinkommen meist mehr als zwei Drittel aus. Schon daraus wird die volkswirtschaftliche, aber auch die soziale Bedeutung des Lohnproblems klar. Dabei erfolgt die Lohnbildung meist auf der Ebene der Branchen und Wirtschaftszweige über die Kollektiv- und Tarifverträge unter weitgehender Eigenverantwortung der Arbeitgeber und Arbeitnehmer bzw. ihrer Organisationen und Interessenvertretungen. Die Tarifautonomie ist zu einem grundsätzlichen Kennzeichen der modernen Verbändedemokratien geworden. In gewissem Umfang werden aber für qualifizierte Arbeitnehmerkategorien oder im Bereich von Unternehmungen mit günstigerer Ertragslage die Kollektivvertragslöhne verbessert. Auf jeden Fall trägt der einzelne Unternehmer eine entscheidende Verantwortung für eine gerechte Lohnbildung im Betrieb, wobei ihm freilich durch die tarifvertraglichen Vereinbarungen sehr deutliche Richtlinien gegeben sind.

Leistung, Qualifikation des Arbeitnehmers und Betriebstreue sind wichtige Kriterien der Lohnbildung. Wieweit durch freiwillige soziale Leistungen auch nichtleistungsbedingte Kriterien bei der Lohnbildung mitspielen, hängt weithin von den Einstellungen der Unternehmensleitung ab, vielfach auch von der Tradition der Lohnverhandlungen im Unternehmen, nicht zuletzt vom sozialen Klima und der Ertragslage. Daß gerade vertretbare Sozialleistungen zu einer wesentlichen Verbesserung der innerbetrieblichen Beziehungen beitragen können, erweist sich an zahlreichen Beispielen von Unternehmungen mit günstiger wirtschaftlicher Entwicklung und lang andauerndem sozialen Frieden.

Im katholischen Sozialdenken hat die Frage einer Lohngerechtigkeit immer wieder besondere Bedeutung gewonnen. Schon die Enzyklika Rerum novarum stellt die diesbezüglichen Verpflichtungen des Unternehmers sehr deutlich heraus.[88]

Die sehr bedeutende Sozialenzyklika von Papst *Johannes XXIII.* Mater et magistra nennt als Lohnbemessungskriterien die produktive Leistung, die wirtschaftliche Lage des Unternehmens, die Erfordernisse des volkswirtschaftlichen Gemeinwohls, vor allem im Hinblick auf die Vollbeschäftigung.[89]

Die Sozialenzykliken stellen ebenso wie die Pastoralkonstitution des II. Vatikanischen Konzils vor allem die Verpflichtungen der Arbeitgeber heraus, der Lohngerechtigkeit ein besonderes Augenmerk zu widmen. Dies verlangt schon die Menschenwürde, ebenso der hohe Wertrang der Arbeit. Die Pastoralkonstitution stellt heraus, daß die in der Gütererzeugung, der Güterverteilung und in den Dienstleistungen verwirklichte menschliche Arbeit Vorrang vor allen anderen Faktoren des wirtschaftlichen Lebens habe, da diese nur werkzeuglicher Art seien.[90] Damit sind auch wesenhafte Grundlinien der Unternehmerethik bestimmt.

Die soziale Gerechtigkeit ist vor allem ein gesamtstaatliches Anliegen. Hier ist der Staat gemeinsam mit den übrigen Gebietskörperschaften erstrangig verpflichtet. Die Unternehmer als Arbeitgeber werden — wie schon hervorgehoben wurde — gewisse soziale Faktoren bei der Lohnbemessung mitberücksichtigen, soweit die wirtschaftliche und soziale Lage der Unternehmung dies zuläßt. Vorrangig ist die Existenzsicherung des Unternehmens, von der eben auch die Arbeitsplätze abhängen. Sache des Staates ist es, nicht nur für ein funktionsfähiges Sozialversicherungssystem zu sorgen, sondern besonders auch für den Familienlastenausgleich, der sich aber auf gesamtgesellschaftlicher Ebene und nicht auf der der Unternehmungen vollzieht.

So gesehen, ist soziale Gerechtigkeit zugleich eine gesetzliche: Die daraus resultierenden Verpflichtungen sind in der positiven Rechtsordnung festgelegt. Dies entbindet den einzelnen Unternehmer freilich nicht von der Verpflichtung, soziales Engagement im Betrieb als Grundeinstellung zu verwirklichen — nicht unbedingt allerdings muß dies in der betrieblichen Regelung der Arbeitslöhne zum Ausdruck kommen. Unabdingbar vielmehr ist das Leistungsprinzip, von dem so viel für den Erfolg des Unternehmens und damit wohl auch für die Erhaltung der Arbeitsplätze abhängt.

Johannes Messner ordnet diese gesetzliche Form der sozialen Gerechtigkeit der distributiven Gerechtigkeit ein: Diese ist „die zur Einhaltung der durch das Gemeinwohl geforderten verhältnismäßigen Gleichheit bei der Austeilung von Lasten und Begünstigungen verpflichtende Gerechtigkeit".[91] *Messner* betont in diesem Zusammenhang, daß es die Staatsautorität ist, die vor allem durch die distributive Gerechtigkeit verpflichtet ist. So ist die Sozialpolitik schlechthin auch eine aus der distributiven Gerechtigkeit resultierende Aufgabe.

Die Gleichheitsidee läßt sich im sozialen Bereich und auch im politischen im engeren Sinn nur auf der Ebene des Gesamtstaates realisieren. *Hans Ruh* stellt dazu fest, daß die Theorie der Gerechtigkeit nicht vorstellbar ist, ohne die enge Beziehung von Gleichheit und Gerechtigkeit zu berücksichtigen. Dies trifft in gewissem Umfang für die Lohnbildung zu, etwa wenn darauf verwiesen wird, daß schon die ausgleichende Gerechtigkeit gleichen Lohn für gleiche Leistung verlangt.[92]

Die distributive Gerechtigkeit (austeilende, verteilende Gerechtigkeit) stellt aber, wie *Arthur Rich* deutlich macht, gewisse Ungleichheiten heraus: Eben wie die ungleichen Löhne bei unterschiedlicher Leistung.[93] Hier gilt der Ordnungsgrundsatz des „Jedem das Seine".

Die Hauptprobleme aus der Sicht der Unternehmerethik, die zwischen Arbeitgeber und Arbeitnehmer bestehen, sind heute nicht mehr die der Lohnbildung, die ohnedies ihrem Schwerpunkt nach kollektiv geregelt wird. Im Zentrum dieser Beziehungen stehen dagegen jene Anforderungen an den Arbeitgeber, die sich aus der Personwürde des Arbeitnehmers ergeben, wie schon hervorgehoben wurde. Dies betrifft etwa den partnerschaftlichen Führungsstil: *Rolf Kramer* stellt die Partnerschaft im Unternehmen sehr nachdrücklich als sozialethische Kategorie heraus, sie ist eine spezifische und ganz wichtige Kategorie der Unternehmerethik: *Kramer* will mit diesem Ausdruck des partnerschaftlichen Führungsstils keineswegs eine neue Methode oder neue Konzeption der Unternehmensführung herausstellen, sondern vielmehr ein bestimmtes, eben ein kooperatives Verhältnis zwischen dem Vorgesetzten und dem Mitarbeiter sowie zwischen verschiedenen Gruppen im Unternehmen ausdrücken.[94] Es geht nicht um ein idealisiertes Harmonieverhältnis dabei, um konfliktfreies Agieren im Betrieb: Spannungen gibt es immer wieder — in jeder menschlichen Gemeinschaft, in größeren gesellschaftlichen Einheiten wie Großbetrieben mehr und häufiger als in der Regel in kleineren betrieblichen Einheiten.

Gerade diese Überlegungen machen deutlich, wie sehr die Ordnung der Arbeit und die daraus entstehenden Beziehungen für das Betriebsgeschehen von Bedeutung sind. Man kann von einer Ordnungsfunktion der Arbeit sprechen: Auf jeden Fall ist heute die Interessenvertretung der Arbeitgeber und Arbeitnehmer zu einem bedeutenden Machtfaktor im Staat geworden. Die Kooperation beider Bevölkerungsgruppen ist in den demokratischen Industriestaaten weithin durch Konsens und Partnerschaft bestimmt. Auf der Ebene der Unternehmungen sind die Beziehungen recht unterschiedlich. Es zeigt sich aber, daß in Ländern, in denen etwa ein hohes Ausmaß an sozialem Frieden herrscht, in denen die Sozialpartnerschaft der Interessenvertretungen der Arbeitgeber und Arbeitnehmer bestmöglich funktioniert, meist auch die Beziehungen der Unternehmensführungen zu den Arbeitnehmern auf der Ebene der Unternehmungen und Betriebe ausgeglichener sind. Auf jeden Fall liegen hier in einem mehr partnerschaftlichen Führungsstil die großen Aufgaben der Unternehmerethik: Ohne die Einheitlichkeit und Dynamik einer zukunftsweisenden Unternehmensführung in Frage zu stellen, geht es um die Schaffung von innerbetrieblichen Beziehungen, die durch Mitmenschlichkeit und gegenseitige Achtung bestimmt und geprägt sind. Dies entspricht auch der Tradition der Katholischen Soziallehre, für die die Sozial- und Individualethik einen so hohen Stellenwert hat. Die Sozialenzykliken haben den besonderen Charakter des Arbeitsvertrages immer wieder hervorgehoben. Quadragesimo anno sagt dazu, daß ebenso wie das Eigentum auch die Arbeit neben ihrem Personal- oder Individualcharakter auch eine soziale Seite aufweist, die unabdingbar ist. Die Fruchtbarkeit der menschlichen Schaffenskraft werde durch ein Zusammenwirken von Arbeit und Kapital gewährleistet. Die gleiche Enzyklika sagt, der Mensch werde in diese Welt gestellt, um sie seinen Lebensbedürfnissen durch die Arbeit nutzbar zu machen. Der Arbeit kommt also im Sinne des den Menschen gegebenen Kulturauftrages entscheidende Bedeutung zu.[95] Daher ist auch der Arbeitsvertrag von ganz anderem Stellenwert als andere Verträge, daher ist die Gestaltung der Arbeitgeber—Arbeitnehmerbeziehungen letztlich eine Sache sittlicher Verantwortung und damit auch der Unternehmerethik.

Die Enzyklika Populorum progressio hat die Ausbeutung der Arbeit scharf verurteilt. Diese Erscheinungsformen gibt es auch heute noch vor allem in Ländern der Dritten Welt, gewiß auch im kommunistischen Osten. In dieser Enzyklika wird aber auch klar ausgedrückt, daß die Arbeit Teil der Schöpfung sei, ihrer Vollendung, daß ihr Wertrang besonders hoch sei. Diese Gedanken führt die Enzyklika des gegenwärtigen Papstes *Johannes Paul II.,* Laborem exercens weiter: Gerade dieses Rundschreiben stellt ein besonderes Dokument zur Arbeit und ihrer Ordnungsfunktion in Wirtschaft und Gesellschaft dar — sie führt die Arbeit auf das Wesen des Menschen zurück, der Mensch brauche die Arbeit zu seiner Lebensverwirklichung.[96]

Partnerschaftliche Beziehungen im Betrieb bedeuten nicht, das Mitarbeiterverhältnis durch Beteiligungssysteme zu verändern. Solche Beteiligungen am Kapital des Unternehmens haben sich gewiß in vielen Fällen bewährt. Sie setzen echte Mitverantwortung voraus, die Bereitschaft der betroffenen Arbeitnehmer, nicht nur am Gewinn, sondern auch am Verlust des Unternehmens mitzutragen. Beteiligungssysteme können nicht zur allgemeinen Norm werden, sie würden sowohl die Unternehmer wie auch die große

Mehrzahl der Arbeitnehmer überfordern. So können sie auch nicht von einer Unternehmerethik gefordert werden. Maßvolle betriebliche Mitbestimmung vor allem in personalen und sozialen Fragen dagegen ist gewiß sinnvoll und kann nicht nur das soziale Klima im Betrieb, sondern auch die Effektivität der im Unternehmen geleisteten Arbeit und damit den Betriebserfolg verbessern. Es wurde schon darauf hingewiesen, daß dagegen wirtschaftliche Mitbestimmung, etwas in Investitionsfragen, deutliche Grenzen hat, daß es hier darum geht, die Verantwortung der Unternehmensleitung nicht zu beeinträchtigen, vor allem aber die notwendigen Entscheidungsprozesse nicht zu verzögern oder in fragwürdiger Weise zu erschweren. Gerade diese Abgrenzungen eines Mitbestimmungssystems ergeben sich aus der Unternehmerethik, die in besonderer Weise, wie dargetan wurde, auf die Existenzsicherung des Unternehmens und damit der entsprechenden Arbeitsplätze abgestellt ist.

Wesentlich ist, daß die Eigenverantwortung sowohl des Unternehmers wie die Personwürde der Arbeitnehmer durch die Gestaltung der Mitbestimmung nicht verletzt wird. Die Arbeitnehmer haben aber ihrerseits auch ein Recht auf Mitgestaltung der ihren Arbeitsprozeß betreffenden Entscheidungen: So stellt die Sozialenzyklika Mater et magistra ein solches Recht auf aktive Teilnahme der Arbeitnehmer am Leben des sie beschäftigenden Unternehmens deutlich heraus, weist allerdings darauf hin, daß die Form und Ausgestaltung dieses Rechtes von der konkreten Situation des Unternehmens abhängt. Es geht nach dieser Enzyklika darum, das Unternehmen zu einer menschlichen Gemeinschaft zu machen — ein Ziel, das auch im Mittelpunkt der Unternehmerethik steht.[97] Die Unternehmensleitungen sind heute weithin interessiert, immer mehr Mitarbeiter mit Verantwortungsbewußtsein und Führungsqualifikationen zu gewinnen, vor allem, um den wachsenden Anforderungen an das mittlere Management und das qualifizierte Betriebspersonal der mittleren Ebene zu genügen.

6.8 Bildungs- und kulturpolitische Herausforderungen

Gerade diese Überlegungen führen zu den Bildungsproblemen im Betrieb, aber letztlich auch ganz allgemein in der Wirtschaftsgesellschaft. *Karl Abraham* spricht davon, daß der Mensch in der modernen Wirtschafts- und Industriegesellschaft unserer Zeit „wirtschaftsfähig" gemacht werden müsse, daß er sich in der so komplexen und komplizierten Wirtschaft zurecht finden muß. Nicht zuletzt geht es auch heute um ein Zurechtfinden in der so schwer überschaubaren technologischen Entwicklung — gewiß nicht in den Details der Computerprogramme, aber im Hinblick auf ein Überschauen der wesentlichen Zusammenhänge. *Abraham* sagt dazu, daß jeder Mensch gezwungen sei, wirtschaftliche Entscheidungen zu treffen, weil er für sein Dasein sorgen muß. In diesem Sinn muß jeder Mensch einkaufen, Dienstleistungen in Anspruch nehmen, als Konsument oder Produzent (oder beides) wirken, als Mitarbeiter in Betrieben tätig sein und vieles andere mehr an wirtschaftsnahen Aktivitäten vollziehen.[98] Die Kenntnisse, die dafür erforderlich sind, werden zum Teil in den Schulen vermittelt, für die mittleren und höheren Führungskräfte in Fach- und Hochschulen. Es steht aber außer Zweifel, daß ein sehr erheblicher Teil des Wissens, vor allem des unmittelbar bei der Arbeit angewandten technischen Könnens, erst im Unternehmen und Betrieb erworben wird, manches davon in einer begleitenden Schulausbildung. Aus dem Zusammenwirken von Unternehmung und Schule hat sich die dualistische Konzeption einer sehr bewährten Berufsausbildung für die Lehrlinge in der gewerblichen Wirtschaft entwickelt. Im Grundsatzprogramm der österreichischen Handelskammerorganisation wird mit Recht hervorgehoben, daß dieses duale Berufsausbildungssystem in Form einer bestmöglichen Verbindung von Lehre und Schule einen besonders chancenreichen Weg darstellt. Es entspreche sowohl den Interessen der jungen Menschen wie auch denen der Wirtschaft: Die besonderen Vorzüge liegen in der Praxisnähe dieses Ausbildungssystems, weiters in der bestmöglichen Übereinstimmung zwischen Bildungs- und Beschäftigungssystem.[99] Von Gewerkschaftsseite wurde wiederholt versucht, dieses ausgewogene Verhältnis zu verändern, eine gewisse Verschulung der Lehrlingsausbildung vor allem für den Produktionssektor zu erreichen. Die österreichische Handelskammerorganisation konnte bisher diese Versuche abwehren und das betriebsnahe Ausbildungssystem erhalten, das gerade im Handwerk eine jahrhundertelange Tradition hat.

Heute gibt es eine Fülle von Einrichtungen, die eine berufliche Weiterbildung ermöglichen, dies in enger Zusammenarbeit mit den Unternehmungen. In einem eigenen Handbuch für die Bildungsarbeit in Klein- und Mittelbetrieben wurde in einer Schriftenreihe der Bundeswirtschaftskammer für Österreich ein beachtlicher Überblick geboten.[100] Ähnliches gibt es auch für andere Staaten bzw. Regionen. Entscheidend bleibt, daß Betrieb und Weiterbildungsträger zusammenarbeiten, daß in ähnlicher Weise wie beim Verhältnis Lehrer—Schule auch im Bereich der berufsbegleitenden und berufsfördernden Erwachsenenbildung Kooperation und Koordination in optimalem Umfang gegeben sind. So gesehen ist es sinnvoll, wenn die Unternehmer und ihre Organisationen auf die Entwicklung der beruflichen Weiterbildungsträger Einfluß nehmen, wenn solche Einrichtungen wie die Wirtschaftsförderungsinstitute der österreichischen Handelskammern von der Interessenvertretung der Unternehmer organisiert sind.

Wichtig ist auch, den echten Bedarf an beruflicher Weiterbildung festzustellen, also entsprechende Analysen und empirische Untersuchungen anzustellen. Als allgemeine Ziele für die Weiterbildung, die ja so sehr auch im Interesse der Unternehmen liegt, umschreibt *Norbert Kailer* folgende: Erhaltung der Leistungsfähigkeit der Mitarbeiter und ihre Vorbereitung auf abzusehende Entwicklungen, Sicherung des Nachwuchses durch rechtzeitige Qualifizierung der Mitarbeiter, Verbesserung der Zusammenarbeit, eines „Wir"-Gefühles, der Übereinstimmung zwischen individuellen Zielen der Mitarbeiter und den Unternehmenszielen, Erhöhung der Anpassungs- und Innovationsfähigkeit des Unternehmens durch Erkennen und systematische Nutzbarmachung neuer Erkenntnisse in allen für das Unternehmen wichtigen Gebieten durch alle Mitarbeiter, Persönlichkeitsentfaltung, Selbstverwirklichung und Erhöhung der Arbeitszufriedenheit durch Weiterbildung und Arbeiten, bei denen man dazulernt. Grundsätzlich sollen den Mitarbeitern auch echte Möglichkeiten geschaffen werden, sich für den internen Aufstieg zu qualifizieren oder die Übernahme anderer Arbeiten in die Wege zu leiten.[101]

Entscheidend bleibt das Interesse des Unternehmers bzw. der Unternehmensleitung an der Fort- und Weiterbildung der Mitarbeiter: Hier gilt es langfristig zu denken, nicht um kurzfristiger Vorteile willen die Langzeit-Ziele aus dem Auge zu verlieren. Im Sinne *Karl Abrahams* geht es darum, eine große Zahl von „wirtschaftsfähigen" Mitarbeitern heranzubilden und damit auch für die gesamte Gesellschaft mehr Sinn für ökonomische Daten und Fakten, nicht zuletzt aber auch für mehr Leistungsfreude und Wettbewerb zu erwecken.

Weiterbildung im Unternehmen stellt immer wieder eine Form des „eigenständigen" Lernens dar: Hier geht es nicht so sehr um die Vermittlung formaler Lehrinhalte, sondern um Wissen zur Existenzbewältigung, zur Berufserfüllung im Betrieb und darüber hinaus in der Wirtschaftsgesellschaft. *Rudolf Messner,* Pädagogikprofessor in Kassel, kennzeichnet eigenständiges Lernen durch ein hohes Maß an Aktivierung, an Eigenaktivität des Lernenden, weiters durch eine gesteigerte Inanspruchnahme des Lernenden, eine Einbeziehung seiner ganzen Person sowohl was den Umfang der angeforderten Erfahrungen und Fähigkeiten als auch den Grad ihres Engagements anbetrifft. Es gehe weiters um eine Intensivierung der Beziehungen des Lernenden zur Realität: Es werde ein Stücke Lebenspraxis so in Besitz genommen, daß sich die Lernenden in ihm wiederfinden und bestätigt sehen können. Es geht um „Aneignung von Wirklichkeit" bei diesen eigenständigen Lernprozessen. [102]

Hier ist nun der Unternehmer besonders angesprochen: Es ist geradezu diese Eigenständigkeit, die auch für den Lernprozeß des Unternehmers selbst entscheidend ist. Nach diesen Maximen wird er versuchen können, auch die Weiterbildungsmöglichkeiten seiner Mitarbeiter positiv zu beeinflussen.

Es ist auch entscheidend, daß diese Formen wirtschaftsnaher Erwachsenenbildung mehr sein müssen als nur Vermittlung technischer Kenntnisse für die unmittelbare berufliche Arbeit. Gerade wenn man von der Wirtschaftsfähigkeit im oben genannten Sinn ausgeht, stehen integrative Konzepte der Erwachsenenbildung zur Diskussion.

In diesem Sinn stellen zwei Vertreter einer humanistischen Psychologie, *Hilarion Petzold* und *Klaus Reinhold,* fest, daß die Erwachsenenbildung durch die Ausrichtung auf die Persönlichkeit erwachsener Menschen und auf den Kontext, in dem Erwachsene leben, die Fähigkeit vermitteln muß, in größeren Zusammenhängen zu denken. Es geht immer um komplexe Zusammenhänge, die zu vermitteln sind: [103] Dies gilt in besonderer Weise für die wirtschaftsnahe Erwachsenenbildung.

Karl Abraham hebt hervor, daß die Wirtschaft in der modernen Gesellschaft eine der großen Kräfte ist, auf die es ankommt: Das hat nun Folgen für das Bildungssystem. Dieses muß insgesamt wirtschaftsnäher werden, auch in den Schulen. *Abraham* meint geradezu, daß das Naheverhältnis von Wirtschaft und Gesellschaft in den Industriestaaten eine Lösung der anstehenden Probleme der Gesellschaftsordnung nicht möglich mache ohne eine Beantwortung der akuten Fragen der Wirtschaftsordnung.

Für die Pädagogik ergibt sich daraus die Folgerung, „daß die erzieherische Vorbereitung junger Menschen auf das Leben in der modernen Gesellschaft nur dann von vornherein weit genug angelegt ist, wenn sie auch die Vorbereitung dieser Jugendlichen auf das Leben in der modernen Wirtschaft umfaßt".[104] Hier setzen nun die Unternehmeraufgaben im Betrieb im Bereich der Erziehungs- und Bildungsarbeit ein: Es geht vor allem um die jungen Mitarbeiter, die dem Unternehmer im Sinne einer recht verstandenen Unternehmerethik in besonderer Weise anvertraut sind, deren Weiterbildung eine zukunftsweisende Unternehmeraufgabe darstellt — sowohl im Interesse des Unternehmens wie ganz allgemein der Wirtschaftsgesellschaft.

Folgen wir weiter den Grundgedanken von *Karl Abraham:* Berufsausbildung und Berufserziehung ist für ihn zunächst die Ausrüstung des einzelnen mit denjenigen Kenntnissen und Fähigkeiten, die er braucht, um sein Berufsleben sinnvoll und erfolgreich gestalten zu können. Die wirtschaftspädagogische Forschung verweise heute aber immer deutlicher auf die gesellschaftliche Seite, auf die politischen Aspekte: Dabei gehe es nun auch um sinnvolle Arbeitsteilung zwischen Staat und Wirtschaft, eine Beziehung, die nur durch partnerschaftliche Zusammenarbeit gelöst werden könne. Es geht dabei um ein Ausbildungssystem, das auch die Persönlichkeitsentwicklung der jungen Menschen positiv beeinflußt.[105] Auf jeden Fall braucht die Wirtschaft ein eigenständiges Recht auf die Durchführung jener Bildungsmaßnahmen, die betriebsnotwendig sind. Diese Aktivitäten können sich nun sowohl auf der Ebene der Unternehmen vollziehen wie auch durch die Verbände der Unternehmer und ihre Bildungsinstitute.

Unternehmerethik bedeutet auch, sich der Verantwortungsbereiche im Berufsbildungs- und Weiterbildungssektor bewußt zu werden, die heute unvertretbar auf den Unternehmer zugekommen sind. Werden sie von den Unternehmen und ihren Interessenvertretungen nicht oder nicht in ausreichendem Umfang wahrgenommen, werden andere Organisationen, allenfalls Gewerkschaften und politische Parteien, diese Bereiche der Erwachsenenbildung an sich ziehen. Diese Zusammenhänge sind heute sehr vielen Unternehmern längst bewußt geworden; auch sind entsprechende organisatorische Anstrengungen in einer Reihe von Staaten unternommen worden, um die maßgebenden Bildungsbereiche im Interesse der Unternehmer zu gestalten.

Heute werden in vielen mittleren und vor allem in größeren Unternehmen besondere Bildungskonzepte erstellt. Dabei geht es vor allem darum, die Grundeinstellung der Unternehmensleitung zur Bildungspolitik klarzustellen und die wesentlichen Richtlinien für die konkreten Projekte darzustellen. Das Konzept soll in diesem Sinn die langfristigen Leitlinien und Ziele des Lernens im Betrieb enthalten, weiters die vom Betrieb angebotenen Bildungsmaßnahmen, wie Vortragsreihen, Diskussionsveranstaltungen, die Einrichtung einer Bibliothek oder Informationsstelle, Erfahrungsaustauschtreffen und viele mehr. Die Leitlinien sollen auch Möglichkeiten enthalten, den echten Bildungsbedarf festzustellen, wie die konkreten Lernziele festgelegt und die Erkenntnisse am Arbeitsplatz und darüber hinaus angewandt werden können.[106]

Erfahrene Experten stellen fest, daß es sich unsere Gesellschaft einfach nicht leisten kann, daß ein Bildungssystem eines Landes beziehungslos zu den pragmatischen, lebensnotwendigen Anforderungen der Industriegesellschaft seine eigenen Wege geht. Eine völlig zweckfreie Bildung, die überhaupt nicht nach der Verwertbarkeit des Wissens fragt, sei lediglich ein intellektuelles Planspiel — so meinen *Walter Eberle* und *Winfried Schlaffke,* Kenner der Industriewelt und ihrer Organisationen.[107] Auch wenn man nicht so weit geht, dürfte außer Zweifel stehen, daß Bildungspolitik in einen größeren Zusammenhang gestellt werden muß, daß sie Teilbereich der Gesellschaftspolitik ist, daß unser Bildungssystem im Gesamten des geistig-kulturellen Prozesses gesehen werden muß, der sich in der Gesellschaft vollzieht. So müssen nicht nur Schule und Wirtschaft in ihren Bildungsbemühungen koordiniert werden, sondern auch eine Gesamtverantwortung aller am Bildungsprozeß mitwirkenden Institutionen und Organisationen gesehen werden: Für wichtige Teilbereiche sind es eben die Unternehmen, die mitverantwortlich sind. Daraus ergeben sich die Zusammenhänge zur Unternehmerethik als Verantwortungsethik.

Es wurde nicht nur von bildungspolitischen, sondern ganz allgemein von kulturpolitischen Herausforderungen des Unternehmers gesprochen: Daraus ergeben sich Beziehungen des Unternehmers zur Kultur insgesamt. Kultur ist letztlich alles das, was der Mensch in seinem vielseitigen Tätigsein an dauerhaften Werten hervorbringt. Nicht nur die Ergebnisse des geistigen Schaffens des Menschen, wie Kunstwerke, Literatur und wissenschaftliche Arbeiten, fallen darunter, sondern auch alle jene wirtschaftlichen Güter, die für unsere Lebensführung erforderlich sind und unsere Umwelt gestalten. So ist es etwa die Wohnumwelt des Menschen, das Haus, die Ortschaft auch in ihrer baulichen Struktur, die Gestaltung der mit der Siedlung verbundenen Natur wie die Gartenpflege — all das ist Kultur. Daraus werden die engen Verflechtungen von Wirtschaft und Kultur deutlich — auch die Wirtschaft ist Kultursachbereich, die Wirtschaftsaufgaben bedeuten Verwirklichung geistig-kultureller Werte. Der schöpferisch tätige Unternehmer ist auch Mitträger des kulturellen Lebens. Es geht hier um einen universalen Kulturbegriff, der die Technik und Wirtschaft nicht weniger umfaßt als Kunst, Literatur, Wissenschaft oder Politik. In seiner kulturellen Entfaltung ist der Mensch in besonderer Weise Gesellschaftswesen: Nur in gesellschaftlicher Verbundenheit ist die geistig-kulturelle Entfaltung möglich. So wird die Mitwirkung am kulturellen Leben zu einer gewissen Verpflichtung jedes Menschen, der ja in gesellschaftlicher Verbundenheit lebt. Für jene Persönlichkeiten, denen eine besondere Stellung in der Gesellschaft zukommt, erwächst daraus ein besonderer Verantwortungsbereich. So gesehen, trifft dies auch für die Unternehmer zu: Die Unternehmerethik verweist in diesem Sinn auch auf die geistig-kulturellen Zusammenhänge, auf die Notwendigkeit des Engagements des Unternehmers in dieser Hinsicht hin. Der Unternehmer prägt mit seiner vielseitigen Initiative, mit seinen schöpferischen Fähigkeiten, mit seiner Chance, immer wieder Neues hervorzubringen, in sehr bedeutendem Umfang auch die kulturelle Entwicklung der Gesellschaft mit, er beeinflußt vielfache Entwicklungsprozesse und Formen eines sozio-kulturellen Wandels, die mit der Wirtschaft verbunden sind.

Kulturträger sind auch kulturtragende Gruppen, also Gruppen in einem sozialen System, „die das Gesamt seiner Werte, Ideen und Regeln mehr als andere Gruppen in seinem Bestand und seiner Geltung garantieren":[108] Die Unternehmerschaft als Gruppe hat insgesamt und nach Wirtschaftszweigen sehr wesentliche kulturelle Impulse im Verlauf der Geschichte gesetzt. Denken wir etwa an das Zunftwesen, das heute etwas einseitig und oberflächlich mehr als Institution zur Wettbewerbsbeschränkung gesehen wird, viel zu wenig als Träger eines bedeutsamen gesellschaftlichen und kulturellen Lebens, nicht nur für die Meister, sondern auch die Gesellen und Lehrlinge und die damit verbundenen Familien und Gemeinden.

6.9 Zusammenhänge zur Konsumethik

Die Konsumethik will Grundsätze einer wertorientierten Nachfrage und Bedarfsdeckung vermitteln: „Erst von der Nachfrage her, die Bedürfnisbefriedigung im Rahmen der dem Menschen wesenhaft vorgeschriebenen Ordnung seiner Lebenszwecke erstrebt, kann eine ethisch richtige Ordnung des Produktionssektors erfolgen" *(Monika Streissler)*.[109] Eine Wirtschaftsordnung der geordneten Freiheit, ein System einer gemeinwohlorientierten sozialen Marktwirtschaft kann solche Ordnungskräfte in Gang setzen. Zunächst gewährleistet dieses Wirtschaftssystem den einzelnen als Konsumenten wie als Produzenten jenen Handlungs-

Entscheidungsspielraum, der entsprechende Aktivitäten unter Gewissensverantwortung ermöglicht.

Über einen funktionsfähigen Wettbewerb wird aber auch dafür gesorgt, daß die notwendigen Güter und Dienstleistungen vorhanden sind, dies in jener Qualität, die sich aus der allgemeinen sozialen Situation, der kulturellen Entwicklung und den gegebenen Wohlstandsindikatoren ergibt.

Wenn die Konsumethik deutlich machen will, daß weder Konsum noch Produktion Endzweck des Wirtschaftens sind, sondern nur Mittel zur Erreichung und Verwirklichung von Lebenszwecken und Lebenswerten, ergeben sich daraus auch Folgerungen für die Unternehmerethik: Es geht daum, die notwendigen Güter und Dienstleistungen so zur Verfügung zu stellen, daß sie diesen Zielen dienen.

Wer die qualitativen Fehlleistungen von Planwirtschaften kennt, nicht nur den quantitativen Mangel, sondern die oft so fragwürdigen Formen des Warenvertriebs und der Darbietung von Dienstleistungen, erkennt hier auch deutliche Zusammenhänge zur Menschenwürde. Wenn sich etwa Konsumenten lange Zeit um einfache Waren für den täglichen Lebensunterhalt anstellen müssen, wenn sich bei manchen Geschäften in Friedenszeiten lange „Warteschlangen" ergeben, ersieht man daraus sehr deutlich nicht nur soziale Differenzierungen zu den Gegebenheiten westlicher Marktwirtschaft. Ähnliches ergibt sich vielfach bei Vergleichen im Dienstleistungssektor: Die oft mehr als schlichte Abgabe von Speisen und Getränken durch ein wenig interessiertes Servicepersonal in Restaurants östlicher Staaten liegt vielfach unter dem Niveau einfacher Werksküchen im Westen.

Es geht also auch um qualitätspolitische Fragen in der Unternehmerethik: Qualitätspolitik umfaßt alle Ziele und Maßnahmen, die zur Förderung der Qualitätssteigerung in der Wirtschaft gesetzt werden. Dabei geht es vor allem um die Festlegung bestimmter Qualitätskriterien und die Verleihung entsprechender Qualitätszeichen (Gütezeichen), die nach den in einzelnen Branchen und Wirtschaftszweigen vorhandenen Richtlinien, Satzungen und Qualitätsnormen vergeben werden. Angesichts der Tatsache, daß Qualitätsproduktion und Qualitätsarbeit vor allem auch eine Aufgabe der mittleren Unternehmungen ist, kommt ihr auch eine wichtige mittelstandspolitische (und damit gesellschaftliche) Funktion zu. Auch bedeutet Qualitätsarbeit viel für die Sicherung von Arbeitsplätzen, für den Export, und nicht zuletzt für ein wirtschaftliches Wachstum in wertmäßiger Hinsicht.

In manchen Branchen haben sich zur Qualitätssteigerung „Ehrenkodizes" bewährt. Auf jeden Fall geht es weithin um freiwillige Formen einer Kooperation von Unternehmungen und Selbstkontrollen durch eigene Institutionen, Arbeitsgemeinschaften zur Förderung der Qualitätsarbeit, Normenvereine u. a. Es geht hier um freiwillige Vereinbarungen, wie Produkte erzeugt und Dienstleistungen erbracht werden sollen. Nicht zuletzt hängen die wirtschaftliche Entwicklung eines Unternehmens sowie seine Expansionsmöglichkeiten maßgeblich von der Qualität der erzeugten Produkte und den erbrachten Dienstleistungen ab. Rechtliche Regelungen zur Sicherung einer entsprechenden Güterqualität sind nur in Grenzen möglich. Gewiß sorgt ein funktionsfähiger Wettbewerb nicht nur für ein quantitativ ausreichendes Güter- und Dienstleistungsangebot, sondern auch für eine entsprechende Qualität: Erfahrungen zeigen aber, daß nicht in allen Fällen eben dieser Wettbewerb in vollem Umfang funktioniert. So kommt diesen freiwilligen Aktivitäten besondere Bedeutung zu: Auch hier wirken neben ökonomisch-rationalen Erwägungen noch ethische Komponenten mit, nicht zuletzt die Überzeugung, daß es um den Ruf eines Unternehmens geht, daß Qualität ein besonderes Kennzeichen bekannter Firmen ist, daß es eben so etwas wie unternehmerisches Ethos gibt — Anschauungen, die in Begriffen wie Ehrenkodex zum Ausdruck kommen.

Heute sind diese Qualitätsfragen auch durch die Vereine für Konsumenteninformation in einer Reihe von Ländern stärker ins Bewußtsein der Öffentlichkeit gedrungen. Auch wird die Qualitätspolitik in vermehrtem Umfang auch Gegenstand wissenschaftlicher Untersuchungen.[110]

Ethisch relevante Grundhaltungen der Unternehmer sind unerläßlich, wenn es darum geht, gewisse Qualitätsmerkmale für längere Zeit hindurch aufrechtzuerhalten. Das qualitätssichernde Servicesystem von Arbeitsgemeinschaften und anderen Institutionen zur Qualitätsarbeit kann nur von Zeit zu Zeit gewisse formale Prüfungen der mit dem Qualitätszeichen ausgezeichneten Produkte vornehmen. Die Einhaltung der entsprechenden Gütevorschriften, Normen, Vereinbarungen und Deklarationen ist nur möglich, wenn zum konkreten wirtschaftlichen Interesse des Unternehmers auch jene Fairness kommt, die als so entscheidend für die Unternehmerethik angesehen wurde. Beziehen sich doch Qualitätsrichtlinien auf „ein ganzes Spektrum von Eigenschaften, wie Beschaffung der Erzeugungsstätte, Produktionsverfahren, Design, energierationelle Einsatzmöglichkeiten, Servicefreundlichkeit usw.".[111] Zusammenhänge ergeben sich auch zur Umweltethik und Umweltpolitik: Die so intensive und auf einer breiten Basis sich vollziehende Umweltdiskussion gibt auch der Qualitätsarbeit erhöhte Chancen. Immer deutlicher wird, daß die quantitativen Zielsetzungen gegenüber den qualitativen in unserer Wirtschaft zurücktreten. In diesem Sinn kann man auch von einer qualitativen Marktwirtschaft sprechen.

Die vermehrte Nachfrage nach qualitativ besseren, haltbaren, reparaturfähigen Produkten und wiederverwertbaren Materialien sind Kennzeichen dieser qualitativen Marktwirtschaft, dazu kommen höhere Anforderungen an den Dienstleistungssektor. Damit verbinden sich die Bestrebungen, umweltfreundliche Produktionsverfahren durchzusetzen. Die Autoren eines Buches über diese qualitative Marktwirtschaft, *Erhard Busek, Christian Festa* und *Inge Görner,* sehen hier auch eine erhöhte Unternehmerverantwortung: Zunächst für die Wahl der Produktionsverfahren und der verwendeten Materialien, dann ganz allgemein für bessere Rahmenbedingungen des Wirtschaftens; hier teilt sich die Verantwortung allerdings mit den zuständigen staatlichen Stellen. Ganz allgemein vertreten die drei Autoren die Auffassung, daß für das Funktionieren der qualitativen Marktwirtschaft die Stärkung der Verantwortung sowohl im geistigen wie auch im materiellen Bereich eine zunehmende Rolle spielt. Je mehr der einzelne bereit sei, mehr Verantwortung an den Gemeinschaftsaufgaben zu übernehmen, umso weniger werde das Verhalten des einzelnen und das Zusammenleben in der Gesellschaft durch Normen, Verbote und Gebote vorgegeben, eingeschränkt oder gefordert werden müssen. Durch eine Stärkung des Verantwortungsbewußtseins des einzelnen könne also ein möglichst großer Freiheitsspielraum für alle gesichert werden.[112]

7 Unternehmerethik als gemeinsame Verantwortung

7.1 Der Unternehmer als Verbandsfunktionär

Viele wirtschaftliche Aufgaben, vor allem die der Interessenvertretung der Unternehmer, lassen sich nur durch Verbände bewältigen. So wird es zu einer Aufgabe der Unternehmer, in solchen Verbänden und Vereinigungen mitzuarbeiten und entsprechende Beiträge zu ihrer Finanzierung zu leisten. Das Ausmaß der Mitarbeit wird dabei sehr unterschiedlich sein. Bedeutenden Umfang nimmt diese Mitarbeit auf jeden Fall bei den Verbandsfunktionären an. Ein Teil der Unternehmer wird solche Verbandsaufgaben übernehmen müssen, dies weithin ehrenamtlich und unter gewiß nicht geringen zeitlichen und oft auch finanziellen Opfern.

Neben und in Verbindung mit den politischen Parteien kommt heute den Interessenvertretungen eine relativ große Bedeutung zu. Dies gilt vor allem in den modernen Industriestaaten auch für die Unternehmerverbände, ja für diese in ganz besonderer Weise. Der so komplexe Entscheidungsprozeß im modernen politischen System wird sehr maßgebend von der Interessenvertretung der Arbeitgeber und Arbeitnehmer mitbestimmt und geprägt. So gesehen, kommt ganz allgemein dem Verbandsfunktionär, im besonderen auch dem Funktionär in den Unternehmerorganisationen, eine besondere Verantwortung zu, die über seine Verantwortungsbereiche in Betrieb und Unternehmen sehr wesentlich hinausgeht. Es zeichnet sich in einer Reihe von westeuropäischen Staaten ein deutlicher Zug zu einer Art Verbändedemokratie ab: Parteien und Verbände bestimmen den politischen Entscheidungs- und Handlungsspielraum, vielfach in einem schwer überschaubaren Verflechtungs- und Kooperationsprozeß.

Im einzelnen sind die Verantwortungsbereiche der Verbandsfunktionäre in den Unternehmerverbänden recht unterschiedlich: Vor allem wird es darauf ankommen, ob es sich um Funktionäre in Vereinigungen mit gesetzlicher, also obligatorischer Mitgliedschaft, oder mit freiwilliger Mitgliedschaft handelt. Handels- oder Handwerkskammern, Industrie- und Handelskammern, Kammern der gewerblichen Wirtschaft oder ähnliche Institutionen mit gesetzlicher Mitgliedschaft geben ihren Funktionären mehr Möglichkeiten, über die unmittelbaren Interessen des vertretenen Mitgliederkreises hinauszugehen und auch gesamtwirtschaftliche Zielsetzungen herauszustellen oder zumindest die Gruppeninteressen größerer wirtschaftlicher Bereiche zu berücksichtigen. Verbandsfunktionäre in Organisationen mit freiwilliger Mitgliedschaft stehen unter einem stärkeren Druck ihrer Mitgliedsfirmen: Sie werden allerdings auch weniger in Konfliktsituationen kommen. Diese sind für Spitzenfunktionäre der Unternehmerorganisationen mit obligatorischer Mitgliedschaft dagegen recht häufig: Müssen sie doch — etwa in Verhandlungen mit den Arbeitnehmerverbänden, vor allem den Gewerkschaften, aber auch bei denen mit Regierungsstellen — oft schwer auszuhandelnde Kompromisse schließen, die weithin nicht die Zustimmung der Mitgliedsfirmen oder der Teilorganisationen ihrer Interessenvertretung finden. Es gibt aber auch schwer lösbare Rollenkonflikte: Vielfach müssen Spitzenfunktionäre mehrere Verbandsfunktionen übernehmen, sind etwa Innungsfunktionäre und zugleich auch Präsidenten oder Vorsteher einer höheren Einheit ihrer Interessenvertretung. Auch wenn sie keine Funktionen in einer Fach- bzw. Unterorganisation ausüben, werden sie ihrer wirtschaftlichen Position nach von den anderen Unternehmern bzw. Verbandsangehörigen eben der einen oder anderen Branche und damit Teilorganisation eines Unternehmerverbandes oder einer Kammer zugeordnet.

Zunächst geht es aber mehr um die allgemeinen Kriterien im Bereich der Unternehmerethik für Verbandsfunktionäre: Jeder

Funktionär muß sich bewußt sein, daß die ihm übertragenen Aufgaben im Verband vielfach von seinen eigenen Interessen abweichen können, ja daß er zum Teil gegen seine persönlichen wirtschaftlichen Interessen handeln muß. Auf keinen Fall darf er zugunsten seines eigenen Unternehmens aus seiner Verbandsfunktion persönliche Vorteile erzielen, etwa sich Aufträge im öffentlichen Sektor auf Grund seiner Verbandsfunktion sichern. Hier verlangt die Unternehmerethik ganz einfach Fairneß und Objektivität — Erfordernisse, die gewiß angesichts des großen — auch politischen — Einflusses vieler Spitzenfunktionäre von Unternehmerorganisationen hohes persönliches Ethos voraussetzen.

Zu all dem kommen die hohen persönlichen Voraussetzungen, die heute an jeden Verbandsfunktionär gestellt werden: So ist vor allem eine ausreichende Kenntnis der für die Entscheidungsbildung im Verband erforderlichen Fakten und der maßgebenden Zusammenhänge notwendig. Damit verbindet sich auch das Erfordernis einer ausreichenden Kenntnis des politischen Systems seines Landes: Der Funktionär braucht hier weniger ein theoretisches Wissen (oder dieses eher in geringem Umfang), als vielmehr eine Kenntnis der Formen und Methoden der politischen Entscheidungsfindung, vor allem auch ein Wissen über die Aktionsmöglichkeiten seiner eigenen Unternehmerorganisation, ihre Einflußbereiche und denkbaren Einflußsphären im Entscheidungsprozeß.

Weiters kommt die Notwendigkeit dazu, daß sich der Verbandsfunktionär ein kritisches Urteil über die politische und gesellschaftliche Wirklichkeit bilden kann, daß er sich um den Abbau von Vorurteilen bemüht, die gerade beim Interessenvertreter leicht aufkommen können, der eben gewohnt ist, manches sehr subjektiv zu sehen. Daraus können sich auch gefährliche Fehleinschätzungen ergeben, in mancher Hinsicht auch ein allzu sehr vom Wunschdenken her bestimmtes Wirken im Verband.

All das erfordert Entscheidungsbildung und Entscheidungsfindung aus Gewissensverantwortung. Die Unternehmerethik verlangt im Grunde vom Unternehmerfunktionär das gleiche wie vom Unternehmer im Betrieb: Fairneß, Offenheit, Entschlußkraft, auch Risikofreude und Verantwortungsbewußtsein — nur haben sich die Ebenen der Aktionsmöglichkeiten und die Inhalte der Entscheidungsbildung im Verband verlagert.

Wie im Unternehmen muß der Funktionär auch in der Unternehmerorganisation die längerfristigen Perspektiven der politischen, sozialen und wirtschaftlichen Entwicklung realistisch einschätzen. An sich ist jedes rationale Verhalten immer wieder auf die Zukunftsperspektive gerichtet. In diesem Sinn muß sich auch der Verbandsfunktionär um eine rationale Entscheidungsfindung bemühen, weil er damit aus einer Langzeitkonzeption in der Lage ist, über allzu enge Gruppeninteressen hinauszugehen, eben diese Interessen zu relativieren, daß er die Gemeinwohlinteressen nicht aus dem Auge verliert: Diese sind letztlich für jeden Menschen bedeutend, nicht zuletzt für die Unternehmer, denen die Existenzsicherung ihrer Betriebe als ein erstrangiges Ziel ihres Wirkens anvertraut ist, wie aus den Grundtatsachen der Unternehmerethik hervorgeht. Werden Gruppeninteressen rücksichtslos durchgesetzt, wird damit auch manches Unternehmen in seiner Existenz gefährdet: Das zeigt sich nicht nur dort, wo Richtungsgewerkschaften Lohnforderungen ohne Rücksicht auf die wirtschaftliche Lage der betroffenen Unternehmungen durchsetzen, sondern auch in Fällen, wo eine Wirtschaftsgruppe diese Rücksichtnahme auf andere Branchen vermissen läßt und dadurch etwa die Geldwertstabilität gefährdet; Exportverluste anderer Wirtschaftsbereiche können die Folge sein.

7.2 Unternehmerorganisationen als Mittel eines gesellschaftlichen Ausgleichs

Die demokratischen Staaten verfügen heute meist über mehr oder minder starke Gewerkschaftsorganisationen. Diese sind in manchen Ländern wie der Bundesrepublik Deutschland und Österreich als Einheitsgewerkschaften organisiert und in Bünden zusammengeschlossen. Freilich bestehen bedeutsame Unterschiede auch in Gewerkschaftsbünden in der Hinsicht, ob ein mehr zentralistisches Machtgefüge damit verbunden ist oder trotz gemeinsamer Dachorganisationen eine mehr dezentrale Entscheidungsbildung — etwa in Lohnfragen — stattfindet. Auf jeden Fall aber brauchen alle diese Staaten mit mehr oder minder starken Gewerkschaftsbewegungen auch Unternehmerorganisationen: Sonst würde die Verbandsmacht recht einseitig konzentriert. In diesem Sinn wäre es recht verhängnisvoll, wenn starken Gewerkschaften schwache Unternehmerverbände entgegenstünden.

In Österreich hat die Entwicklung nach 1945 dazu geführt, daß der Konzentrationsprozeß bei den Gewerkschaften auch zu einer Schaffung einer machtvollen und umfassenden Unternehmerorganisation geführt hat. Die Zusammenfassung von 16 (später 15) Fachgewerkschaften in einem überparteilichen Gewerkschaftsbund war für die Unternehmerschaft Österreichs eine große Herausforderung: Dieser wurde mit der Schaffung einer Spitzenorganisation der gewerblich-industriellen Wirtschaft, einer gesetzlichen Interessenvertretung für den Gesamtstaat, der Bundeskammer der gewerblichen Wirtschaft, Rechnung getragen. Als Spitzenorganisation nicht nur der Landeskammern in den einzelnen Bundesländern, sondern auch durch den Einbau der Fachorganisationen, der Branchenverbände, in die Handelskammerorganisation stellt die Bundeskammer mit ihren Sektionen und Fachverbänden das Musterbeispiel einer umfassenden und schlagkräftigen Interessenvertretung gesamtwirtschaftlicher Art dar. In enger Kooperation mit der gesetzlichen Interessenvertretung der Landwirtschaft, den Landwirtschaftskammern bzw. ihrer Spitzenorganisation, der Präsidentenkonferenz dieser Landwirtschaftskammern, hat sich eine starke Front der Arbeitgeberschaft gegenüber den Gewerkschaften und den in Österreich schon seit 1920 bestehenden Arbeiterkammern gebildet.

Die Ausgleichsfunktion der Unternehmerorganisation vollzieht sich in Österreich in einer spezifischen Form, eben in der Sozialpartnerschaft. Über diese gibt es bereits eine umfangreiche Literatur.[113] Hier soll nur auf jene Zusammenhänge hingewiesen werden, die für die Unternehmerethik von Bedeutung sind. Für die Entwicklung der Sozialpartnerschaft ist mit der Errichtung einer zentralen gesamtstaatlichen Interessenvertretung sowohl auf Arbeitgeber- wie auf Arbeitnehmerseite die wichtigste institutionelle Voraussetzung geschaffen worden. Neben der Preis- und Lohnpolitik sowie wichtiger Teilbereiche der Wirtschafts- und Sozialpolitik insgesamt konzentrieren sich die Mitsprachemöglichkeiten der Sozialpartner auf die Sozialversicherung, die agrarische Marktordnung und nicht zuletzt die Wettbewerbsordnung.

In zahlreichen Beiräten und Wirtschaftskommissionen vertreten, müssen die Funktionäre (und sehr weitgehend die diesen verantwortlichen hauptberuflichen Mitarbeiter der Kammern und Gewerkschaften) wichtige Aufgaben der Wirtschafts- und Sozialverwaltung mit den Vertretern der zuständigen staatlichen Stellen gemeinsam verantworten und mitentscheiden, zumindest beratend mitverantworten. Man kann geradezu von einem Organisationsprinzip der Sozialpartnerschaft für die österreichische Wirtschafts- und Sozialverwaltung sprechen *(Karl Korinek).*[114] Einige Bedeutung kommt auch dem 1963 errichteten Beirat für Wirtschafts- und Sozialfragen zu, nach dessen Modell auch andere Beiräte bei den für Wirtschaftsfragen zuständigen Bundesministerien errichtet wurden, in denen die Sozialpartnerorganisationen gleichfalls vertreten sind.

Aus der Sicht der Unternehmerethik ergeben sich für diese Aufgaben im Interesse eines gesamtgesellschaftlichen Ausgleichs besondere Akzente: Die Funktionäre auch der Unternehmerverbände, die in diesen Gremien der Sozialpartnerschaft wirken, müssen dem Kompromiß eine besondere Bedeutung einräumen. Hier geht es um mehr als um Interessenvertretung: Kompromisse führen vielfach dazu, daß alle Beteiligten unzufrieden sind. Die Ergebnisse vieler Lohnverhandlungen oder Auseinandersetzungen um sozialpolitische Maßnahmen beweisen immer wieder, daß kaum jemand am Schluß der Verhandlungen zufrieden ist; das gehört zum Wesen des Kompromisses.

Kompromißlösungen im Sozialpartnerbereich sind das Ergebnis von solidarischen Haltungen, wobei hier allerdings die Ebene der Solidarität wesentlich verbreitert wurde: *Heribert Lehenhofer* stellt dies so dar, daß im Fall der Sozialpartnerschaft die Funktionäre über ihre jeweiligen Verbandsziele hinaus gemeinsam für die „überhöhenden" Gemeinschaftsziele handeln.[115]

Bei allen Bemühungen um gesamtgesellschaftlichen Ausgleich geht es um Fragen der Gerechtigkeit, dies in einem sehr weiten Sinn verstanden. *John Rawls* bezeichnet als ersten Gegenstand der Gerechtigkeit eine entsprechende Ordnung der Grundstruktur der Gesellschaft: Es geht um die Frage, wie die wichtigsten gesellschaftlichen Institutionen Grundrechte und -pflichten und die Früchte der gesellschaftlichen Zusammenarbeit verteilen.[116]

Arthur Rich betont in diesem Zusammenhang, daß es hier um „material auswertbare Bestimmung der sozialen Gerechtigkeit" gehe, um Verteilungsfragen, deren Lösung Gerechtigkeit als Fairneß verlangt, um wieder auf *Rawls* zurückzukommen.[117]

Die Sozialpartnerschaft kann zunächst den sozialen Frieden sicherstellen. Darüber hinaus geht es um ein möglichst gerechtes System der Einkommensverteilung über sachlich geführte und koordinierte Verhandlungen, Tarifabschlüsse wie generell um eine gesamtwirtschaftlich konzipierte Lohn- und Einkommenspolitik. Daß hier gerade eine solidarische Lohnpolitik der Gewerkschaften weiterführen kann, zeigen auch österreichische Erfahrungen. Freilich genügt hier nicht eine Solidarität der Gewerkschaften untereinander, also etwa in einem Gewerkschaftsbund, sondern es muß sich damit eine Grundhaltung verbinden, die durch maßvolle Orientierung an gesamtwirtschaftlichen Daten, wie Produktivitätssteigerung, reales wirtschaftliches Wachstum und Inflationsrate, gekennzeichnet ist. Kompromißbereitschaft wird also nicht nur von den Unternehmerfunktionären verlangt, sondern auch von den Gewerkschaftsvertretern. Kompromiß bedeutet immer Konfliktlösung durch Findung gemeinsamer Standpunkte. Dies erfordert eben Nachgeben beider Streitteile. In der modernen Verbandsdemokratie werden Kompromißlösungen weitgehend zur Regel: Die Interessenkollisionen lassen sich vielfach nur durch Kompromisse lösen.

Sozialpartnerschaft verbindet sich meist mit einem System der Konsensdemokratie: Problemlösungen werden im Verhandlungsweg gesucht, wobei Einigung auch bei einem gerade noch vertretbaren Kompromiß einem offenen Konflikt meist vorgezogen wird. So muß sich der Verbandsfunktionär und hier wiederum besonders der Funktionär in den Unternehmerorganisationen in verbandsinternen und überverbandlichen Ausgleichsgremien bewähren. Dabei zeigt die Erfahrung, daß Kompromisse im allgemeinen leichter zu erzielen sind, wenn quantitativ veränderbare Ziele zur Diskussion stehen, als wenn es um Prestigefragen oder um aus persönlicher Machtposition entstandene Auseinandersetzungen geht. Auch kann sich, wie es sich bei Tarifverhandlungen zeigt, im Laufe der Zeit ein bestimmtes Verhandlungsschema entwickeln, das leichter im Wege des Aushandelns der unterschiedlichen Interessen zu Kompromißentscheidungen führt.[118] Die Entwicklung der Sozialpartnerschaft kennt viele solche Beispiele.[119]

Funktionäre müssen also nicht nur kompromißbereit sein, sondern auch Erfahrungen in Ausgleichsverhandlungen mitbringen.

Es zeigt sich immer wieder, daß ein Wechsel in Führungspositionen der wichtigsten Arbeitgeber- und Arbeitnehmerverbände gewisse Unsicherheiten mit sich bringt. Dann kommt es auf die Fähigkeiten des Funktionärs an, die Stabilität der bisherigen Verbandspositionen zu erhalten und die Ausgleichsfunktion des Vorgängers in der Funktion weiterzuführen.

Besondere Aufgaben ergeben sich in einzelnen Bereichen der Wirtschafts- und Sozialpolitik aus der Sicht der Unternehmerethik. Nehmen wir als Beispiel die Wettbewerbspolitik, speziell die Gewerbepolitik: Zunächst mögen von der einzelnen Branche her gesehen restriktive Bestimmungen für den Gewerbeantritt im Interesse der Unternehmer dieses Bereiches liegen. Das Beispiel der wirtschaftlich höher entwickelten Staaten zeigt aber, daß längerfristig den Unternehmerinteressen mit einer liberalen Gewerbepolitik besser gedient ist. Ähnliches gilt für die Handelspolitik. Die Wirtschaft braucht eben dynamische Unternehmen, die unter einem dirigistischen Wirtschaftssystem weniger entwicklungsfähig sind als unter marktwirtschaftlichen Verhältnissen, bei einem funktionsfähigen Wettbewerb.

Friedrich Fürstenberg stellt fest, daß die Strukturmerkmale der Sozialpartnerschaft in Österreich mit wesentlichen Bestandteilen der Sozial-, Interessen- und Bewußtseinsstrukturen korrespondieren. Darüber hinaus erfülle die Sozialpartnerschaft aber auch funktionale Erfordernisse, die sich aus den besonderen Bedingungen des wirtschaftlichen, sozialen und politischen Wandels ergeben. In diesem Sinn sei die Hauptfunktion eben dieser Sozialpartnerschaft in der Risikoabsicherung und im Risikoausgleich im Verlauf des gesellschaftlichen Wandels gelegen.[120] Tatsächlich erweist sich die Sozialpartnerschaft als starkes stabilisierendes Element in der politischen und wirtschaftlichen Entwicklung Österreichs. So stellen sich hier auch besondere Anforderungen an die Funktionäre der Wirtschaftsorganisationen; es sei nur auf die Zusammenhänge von Unternehmerethik und Stabilität hingewiesen.

7.3 Um eine Dezentralisierung der Macht

Die Erhaltung und Festigung der persönlichen Freiheit — für den Unternehmer wie für jeden anderen Staatsbürger — bedingt eine Verhinderung der Machtkonzentration im Staat. Pluralistische Demokratie darf nicht durch Konzentration der maßgebenden Entscheidungen im politischen System auf wenige Machtträger zerstört werden; ebenso wenig kann eine funktionsfähige Marktwirtschaft erhalten bleiben, wenn die wirtschaftliche Macht in wenigen Händen konzentriert ist. Es kann in diesem Zusammenhang nur immer wieder festgestellt werden, daß die Wahrnehmung der damit zusammenhängenden Ordnungsaufgaben nur möglich ist, wenn an den maßgebenden Stellen Funktionäre tätig sind, die sich dieser Zusammenhänge und ihrer Gewissensverantwortung bewußt sind. Im Polnisch-Österreichischen Soziologensymposion 1980 hat *Helmut Renöckl* darauf hingewiesen, daß es in weiten Bereichen unserer Gesellschaft darum geht, eine so weitgehende Orientierungslosigkeit zu überwinden: In diesem Sinn müßten neue normative Schwerpunkte gesetzt werden.[121] Der vor einigen Jahren verstorbene angesehene evangelische Sozialethiker *Wilhelm F. Kasch* sagt dazu, daß es um eine Gesellschaftsordnung gehe, in der der Mensch sich als Person und nicht als Produkt einer anonymen Entwicklung begreift; dazu ist Machtbeschränkung und Sicherung der persönlichen Freiheitsbereiche erforderlich.[122]

Die Bedeutung der Unternehmerorganisationen mit verantwortungsbewußten Funktionären wird auch im Grundsatzprogramm der österreichischen Handelskammerorganisation in dem Sinn hervorgehoben, daß sie durch den Ausgleich der Gruppeninteressen jeder einseitigen Machtkonzentration entgegenwirken sollen.[123] Die Verbände selbst sollen aber durch innerverbandliche Demokratie ihrerseits gegen interne Machtkonzentrationen abgesichert werden. Je mehr sie in der Lage sind, solchen Zusammenballungen der Macht in der Hand weniger Funktionäre entgegenzuwirken, desto eher werden staatliche Kontrollmechanismen über die Verbandstätigkeit entbehrlich, die ohnedies nur geringe Effektivität haben. Gerade weil dem Unternehmer an der Sicherung des persönlichen Freiheitsraumes so viel liegen muß, sind Funktionäre in Interessenvertretungen der Unternehmer besonders verpflichtet, Machtkonzentrationen entgegenzuwirken. Sie werden aus diesen Gründen nicht nur gegen einen Gewerkschaftsstaat sein, sondern auch gegen einen Kammerstaat, auch wenn die Unternehmerkammern dabei eine große Rolle spielen mögen.

Die Unternehmer und ihre Organisationen müssen sich so gesehen auch gegen Versuche zur Wehr setzen, einseitige Rechte einzelner Organisationen besonders herauszustellen: So wird von einem Recht auf den Streik gesprochen. *Gerhard Müller,* der langjährige Präsident des bundesdeutschen Bundesarbeitsgerichtshofes, stellt dazu fest, daß man von einem Recht auf den Arbeitskampf sprechen müsse: *Müller* verweist hier auch auf die einschlägige deutsche Rechtsprechung.[124] Die Unternehmer haben hier die gleichen Rechte wie die Arbeitnehmer.

Gerade auch aus der Sicht der Machtbeschränkung geht es um partnerschaftliche Beziehungen sowohl auf der Betriebs- wie der Unternehmensebene, aber auch im Sinne der Sozialpartnerschaft auf der gesamtwirtschaftlichen Ebene. Man braucht im übrigen hier nicht immer gleich an ideale Zustände zu denken: Immer wieder wird es Konflikte, Auseinandersetzungen und Schwierigkeiten geben. Es geht nicht um die Konfliktvermeidung, sondern den Konfliktausgleich. Auch *Oswald v. Nell-Breuning* stellt dazu fest, daß nicht notwendig Altruismus in den Beziehungen der Sozialpartner vorherrschen müsse; *Nell-Breuning* warnt sogar vor einer Ideologisierung solcher Partnerbeziehungen. Der erfahrene Sozialethiker will diese Partnerschaft wohl auf eine ethische Grundlage stellen, aber „ihr Ethos ist nicht dasjenige selbsloser Uneigennützigkeit, sondern das Ethos der Fairneß und des gegenseitigen

Respekts".[125] Damit sind wesentliche Anliegen der Unternehmerethik zum Ausdruck gebracht.

Der Unternehmer weiß nicht nur aus seiner Erfahrung im eigenen Unternehmensbereich, sondern auch als Funktionär einer Interessenvertretung um die Tatsache, daß heute die Entscheidungsspielräume durch ein dirigistisches und interventionistisches Regierungssystem sehr eingeschränkt sind. So gesehen, muß die Unternehmerethik von einer realistischen Deutung der Möglichkeiten und Grenzen unternehmerischer Entscheidungsfähigkeit ausgehen und sich an den Gegebenheiten der modernen Wirtschaftsgesellschaft orientieren. Dies bedeutet nicht weniger Gewissensverantwortung, sondern nur, daß eben diese Entscheidungen des Unternehmers — dies auch als Funktionär — schwieriger sein werden als in vielen anderen Bereichen des menschlichen Handelns und Entscheidens.

8 Der Unternehmer und die Politik

8.1 Engagement als Politiker

Es wurden schon viele Zusammenhänge des Unternehmers zur Politik aufgezeigt. Im besonderen geht es aber noch darum, zumindest eine gewisse Anzahl von Unternehmern auch zu einem persönlichen Einsatz im Bereich der Politik zu veranlassen. Politiker sollen in Demokratien aus allen Bevölkerungsschichten kommen. Die zunehmende Belastung, die vor allem an Mandatare heute herantritt, bringt es mit sich, daß sich immer weniger Selbständige, Unternehmer, Bauern, Freiberufliche wie Ärzte und Rechtsanwälte bereit finden, aktive Rollen in der Politik zu übernehmen.

Diese Gegebenheiten führten dazu, daß der Anteil der Beamten unter den Mandataren und übrigen Politikern sehr zugenommen hat. Zweifellos kommen auch aus dieser Bevölkerungsgruppe fähige Politiker. Eine Überrepräsentation ist aber nicht nur gegen die Grundsätze der Demokratie an sich gerichtet, die möglichst ausgeglichene Vertretungsverhältnisse aller Bevölkerungsgruppen in den parlamentarischen Gremien anstrebt, sondern auch als Professionalisierung der Funktion des Politikers bedenklich. Werden doch die Beamten vielfach freigestellt oder pensioniert, solange sie ihre politische Funktion ausüben. Diese Entwicklung verläuft bei Angehörigen der freien Berufe, vor allem auch der Unternehmer, anders: Hier müssen wohl gewisse Führungsaufgaben in den Unternehmen delegiert werden, selten kann sich aber der Unternehmer in der Zeit der Ausübung politischer Funktionen zur Gänze von seinem Unternehmen und den damit verbundenen Führungsaufgaben freistellen.

Auch aus anderen Gründen erscheint eine angemessene Repräsentation der Unternehmer unter den Politikern sinnvoll: Der dynamische und innovationsbewußte Unternehmer kann auch in der Politik ähnliche Impulse wie im Unternehmensbereich setzen. Immer wieder zeigt es sich, daß die Übertragung jener Grundsätze einer Verantwortungsethik, die für die Unternehmerethik postuliert wurden, auch für die Politik viel bringen kann.

8.2 Ein wichtiger Bereich — die Kommunalpolitik

Erfahrungen aus vielen Gemeinden machen deutlich, daß ein besonders wichtiger Bereich für den Unternehmer in der Kommunalpolitik gelegen ist. Dies ist vor allem darauf zurückzuführen, daß die Gemeinden in mehr oder weniger großem Umfang auch wirtschaftliche Aufgaben zu erfüllen haben, so oft auch eigene Unternehmungen betreiben, aber auf jeden Fall als Auftraggeber für die Wirtschaft eine bedeutende Rolle spielen. Es zeigt sich auch deutlich, daß die wirtschaftlichen Aufgaben der Gemeinden weithin zunehmen. So nimmt auch der Anteil der Gemeinden an den Brutto-Investitionen der gesamten öffentlichen Hand immer mehr zu. Auch in der unmittelbaren Wirtschaftsförderung nehmen die Gemeinden eine immer wichtigere Stellung ein. Auch die Erfüllung der Aufgaben der örtlichen Raumplanung, so die Erstellung der Flächenwidmungspläne, erweist sich als immer wichtiger. Finanzierungsfragen und Budgetpolitik erfordern auch auf der kommunalen Ebene hochrangige Experten. So gibt es eine Fülle von Aufgaben, die besonders für den Unternehmer oder Manager geeignet sind. Immer wieder zeigt sich, daß Persönlichkeiten aus der Wirtschaft besonders geeignet sind, Führungsaufgaben in Unternehmungen des eigenen Bereichs zugleich mit solchen im kommunalen Sektor zu bewältigen. Auch ist vor allem in mittleren und kleineren Gemeinden die damit verbundene Belastung für den Unternehmer meist geringer als bei Ausübung von

Mandaten in parlamentarischen Körperschaften oder in anderen vergleichbaren politischen Funktionen auf Bundes- oder Landesebene.

Besonders schwierige Fragen ergeben sich im Gemeindebereich bei der Vergabe öffentlicher Aufträge. Hier zeigt sich, daß die Nahbeziehungen im Gemeindebereich das Auftragwesen viel schwieriger nach objektiven Kriterien realisieren lassen als auf gesamtstaatlicher Ebene. *Elisabeth Langer* hat in eingehenden Untersuchungen diesen Problemkreis analysiert und darauf verwiesen, daß hier wichtige Weichenstellungen für die gesamte Wettbewerbsordnung erfolgen. Es geht vor allem um die Notwendigkeit einer möglichst einheitlichen Regelung des Vergabewesens für alle Gebietskörperschaften.[126] Die Unternehmer als Gemeindefunktionäre werden aber nicht zuletzt aus jenen Motiven, die für die Unternehmerethik als entscheidend angesehen wurden, für einen fairen Wettbewerb bei der kommunalen Auftragsvergabe eintreten. Unternehmer sind meist gewohnt, in überschaubaren Größenordnungen zu disponieren. Daher werden auch Gemeindepolitiker, die vom Unternehmerberuf kommen, im allgemeinen in Fragen der Bestimmung der Gemeindegröße für eine vorsichtige Vorgangsweise sich einsetzen. Kleinere Gemeinden werden im allgemeinen mit weniger Bürokratie auskommen, sie haben auch überschaubare Entscheidungsprozesse, die Gemeindeagenden können weithin bürgernah erledigt werden. Dazu sind wieder Unternehmer als Kommunalpolitiker besonders geeignet, weil sie sich auch in ihren Betrieben mit ähnlichen Problemen konfrontiert sehen. Natürlich vertreten auch Gemeindepolitiker, die aus anderen wirtschaftlichen Tätigkeiten kommen, vielfach ähnliche Ansichten wie Unternehmer als Gemeindepolitiker. Der Salzburger Landeshauptmann *Wilfried Haslauer,* früher Kammeramtsdirektor der Salzburger Handelskammer und in Aufsichtsräten und anderen wirtschaftlichen Funktionen mit ökonomischen Fragen immer wieder befaßt, ist einer der markantesten

Vertreter der Erhaltung der bestehenden Gemeindestruktur. Er vertritt die Auffassung, daß Gemeindezusammenlegungen oft zur Schaffung künstlicher Großgemeinden führen, dies mit einer Auslaugung und Verkümmerung gewachsener gesellschaftlicher Strukturen; die Verwaltungskosten würden meist ansteigen, es entwickle sich eine gewisse Zentralbürokratie. Damit sei vielfach ein Identifikationsverlust in der Bevölkerung verbunden; gewisse Impulse zur Selbsthilfe, die man in kleineren Gemeinden noch finde, gingen weitgehend verloren.[127] Diese Überlegungen machen deutlich, daß aus der Wirtschaft kommende Kommunalpolitiker (auch *Haslauer* hat einige Zeit die Funktion eines Salzburger Vizebürgermeisters ausgeübt) gesellschaftspolitisch argumentieren, daß sie aber vor allem die Bedeutung der Transparenz, der Überschaubarkeit erkennen und sich bewußt sind, daß Politik als Ordnungsaufgabe letztlich immer wieder diese Frage der Reichweite menschlicher Entscheidungssituationen berücksichtigen muß.

8.3 Unruhe in die Politik bringen?

Bisher war die Bedeutung der Stabilität im politischen System besonders herausgestellt worden: Es wurde auch versucht, hier Zusammenhänge zur Unternehmerethik aufzuzeigen. Ethik kann aber auch als Störfaktor wirken und wohl auch in dieser Hinsicht als positives Phänomen angesehen werden. *Hartmut Weber* bezeichnet die Ethik schlechthin als die große Störung: Unter Hinweis auf *Karl Barth* wird damit zum Ausdruck gebracht, daß es bei der Ethik irgendwie auch um eine kritische Infragestellung alles Bestehenden gehe. Dadurch könnten aber gewaltige Kräfte für ein Neues freigesetzt werden.[128] Auch wenn hier vorwiegend theologisch interpretiert wird, kann für unsere Unternehmerethik, die, wie gesagt wurde, auch als Herausforderung zu verstehen ist, gefolgert werden, daß kritische Grundhaltungen unerläßlich sind: In diesem Sinn wird der Unternehmer als Politiker, aber letztlich jeder Unternehmer als Staatsbürger mit einer besonderen Verantwortung zunächst eine kritische Analyse der politischen Situation anstellen, ehe er seine entsprechenden Entscheidungen trifft. Vor allem aber wird sich der Unternehmer als Politiker bemühen, diese kritische Grundeinstellung zu Innovationen in der Politik zu nutzen, er wird — wie im Unternehmen — Neues auch im politischen Entscheidungsprozeß zur Diskussion stellen, freilich — wie im Unternehmen — nicht ohne Prüfung der sachlichen Erfordernisse. Kritische Einstellung, verbunden mit dem Willen zu zukunftsweisenden Lösungen, bei aller sinnvollen positiven Einschätzung dessen, was schon als Vorhandenes sich bewährt hat — das könnten auch aus der Sicht einer Unternehmerethik Bestimmungsmerkmale für den Unternehmer in der Politik sein. Nicht um der Unruhe willen manches in Frage stellen, sondern einfach aus der Notwendigkeit, für neue Entwicklungen auch neue Wege zu suchen — das müßte Handlungsmaxime des Politiker-Unternehmers sein — letztlich Einstellungen, die sich im Unternehmen ebenso bewähren wie im Bereich der Politik.

Gerade das Umweltproblem erweist sich als eine ethische Herausforderung: Diese richtet sich primär an die verantwortlichen staatlichen Entscheidungsträger, aber auch an die Wirtschaft und damit die Unternehmer. Diese sehen in den damit verbundenen Problemen weniger einen Störfaktor für den wirtschaftlichen Wachstumsprozeß, sondern eben eine Herausforderung, aber auch eine unternehmerische Chance. Die umfassende technisch-wissenschaftliche Revolution, in der wir heute stehen, kann nur bewältigt werden, wenn mit dem Grad der Technisierung und Automatisierung auch das Bewußtsein der Verantwortung aller mit diesem Prozeß befaßten Personen und Institutionen entsprechend wächst: Das sind nicht zuletzt die Unternehmer. Gewiß bringt auch dieser technologische Prozeß zunächst immer neue

Störungen. Diese können nur bewältigt werden, wenn es gelingt, den verantwortlichen Persönlichkeiten auch jenen Entscheidungsspielraum zu schaffen, den sie zur Problemlösung brauchen: So gesehen, dürfen auch die Unternehmer nicht überfordert werden. Ein Manager mit großen Aufgaben der Umstrukturierung und Sanierung, der Generaldirektor der VOEST, *Herbert Lewinsky*, sagte in diesem Zusammenhang, daß es darauf ankomme, Größenordnungen im Unternehmensbereich zu schaffen, in denen die getroffenen Entscheidungen noch kontrollierbar seien.[129] Für große Konzerne kommt es darauf an, daß die Unternehmensleitung in den Tochtergesellschaften von der Muttergesellschaft und ihren Organen noch überblickbar und überprüfbar ist.

8.4 Politische Entscheidungen und wirtschaftliche Sachgesetzlichkeit

Die Politik muß die Rahmenbedingungen für das Wirtschaften setzen: Dazu gehört — wie immer wieder hervorgehoben wurde — vor allem auch die Sicherung eines funktionsfähigen Wettbewerbs, der bestmögliche Leistungen der am Wirtschaftsprozeß mitwirkenden Personen und Institutionen sicherstellt. Dies sind auch die Grundbedingungen für Entscheidungen der Unternehmer in Eigenverantwortung — die erstrangige These der Unternehmerethik. Die Politik muß dabei die Sachgesetzlichkeiten in der Wirtschaft beachten, so die Gesetze von Angebot und Nachfrage, die Gegebenheiten des Preismechanismus und vieles mehr. Diese Sachgesetzlichkeiten in der Wirtschaft sind allerdings nicht Sachzwänge. Die Wirtschaft wird von eigenverantwortlichen Menschen gestaltet: *Edgar Nawroth* spricht von Vernunftgesetzen in der Wirtschaft, die sich auf rationales Handeln gründen. Weil der Marktteilnehmer gewisse wirtschaftliche Notwendigkeiten einsieht und sich danach orientiert, entstehen Wirtschaftsgesetze. So sieht *Nawroth* auch keinen Gegensatz zwischen diesen Sachgesetzlichkeiten und der Wirtschaftsethik, sondern vielmehr eine wechselseitige Bezogenheit. Die Wirtschaftsethik (und wohl besonders die Unternehmerethik) setze als Normwissenschaft für wirtschaftlich richtiges Verhalten vor allem die Sachkenntnis für sachrationales Wirtschaften voraus. Nur das sei ethisch einwandfrei, was der Natur der Sache entsprechend als vernünftig anzusehen sei.[130]

Man kann diesen Überlegungen zustimmen, gerade aus der Sicht der Unternehmerethik, deren Bezogenheit auf rationales Handeln besonders ausgeprägt ist, ebenso ihre auf Eigenverantwortung abgestellte Grundkonzeption. *Wolfgang Schmitz* hat hervorgehoben, daß sich in der Begründung der Zielvorstellungen die wertgebundenen Vertreter der theoretischen Wirtschaftspolitik und die Sozialethiker treffen: Immer bleibt die Wahrung der Freiheit ein fundamentales Kriterium der personellen Würde des Menschen.[131]

Unternehmerethik ist weithin Individualethik, auf den einzelnen Unternehmer und seine Verantwortungsbereiche bezogen: Die Politik ist für den Unternehmer aber eine entscheidende Vorbedingung für die Absicherung seines möglichst freien Handlungs- und Entscheidungspielraumes, freilich eine Politik, die sich dieser ihrer Ordnungsaufgabe bewußt ist.

8.5 Einer politischen Sachgesetzlichkeit unterworfen?

Lassen sich in den modernen Demokratien mit ihren Mehrheitsentscheidungen rationale politische Zielsetzungen verwirklichen? Können die Unternehmer als Minderheit im Staat tatsächlich die Chance bekommen, jene optimalen Rahmenbedingungen für das Wirtschaften durch die politischen Entscheidungen zu gewinnen, die ihnen auch einen Handlungsspielraum aus der Gewissensverantwortung sicherstellen?

Gewiß ist die Entwicklung in manchen Staaten durch weitreichenden Dirigismus und Interventionismus gekennzeichnet, sind Grundvoraussetzungen eines funktionsfähigen Wettbewerbes durch politisch bedingte Störungsprozesse nicht gegeben. Dennoch sind die Unternehmer vor allem in Ländern, in denen sie über entsprechende Interessenvertretungen verfügen, eher in der Lage, sich in gewissem Umfang durchzusetzen. Gerade hier liegt eine Chance auch der politischen Ethik: Daß immer mehr Menschen sich der Grenzen der staatlichen Ordnungsaufgaben bewußt sind, daß sie allerdings auch bereit sind, sich für die Durchsetzung einer sinnvoll konzipierten Wirtschaftspolitik und vor allem Wirtschaftsordnungspolitik einzusetzen. Es kommt aber auch darauf an, eine gewisse Kontinuität in der Wirtschaftsgesetzgebung sicherzustellen: Staaten, die die wirtschaftliche Rahmenordnung, etwa Marktordnungsgesetze, Preisregelung, Energiewirtschaftsgesetze und anderes mehr, alle zwei oder drei Jahre ändern, nehmen den Unternehmern auch die Chance einer längerfristigen Disposition und stören damit die wirtschaftliche Entwicklung. Die Unternehmer dürfen nicht bei jeder gesamtstaatlichen Parlamentswahl bangen müssen, ob weitreichende Änderungen in der Wirtschaftsgesetzgebung — etwa auch der Steuerpolitik — eintreten. *Ulrich K. Preuß* stellt fest, daß gerade unter dem Einfluß der linksradikalen Kräfte Demokratie vielfach als „möglichst photographische Wiedergabe des jeweiligen empirischen Volkswillens" verstanden werde; es käme nun nicht auf die in jeder neuen politischen Situation gegebene Möglichkeit an, daß sich der Volkswille neu artikuliert und damit Gesetze rasch verändert werden, sondern es müßte gerade in der Gesetzgebung eine gewisse Dauerhaftigkeit sein:[132] Gerade für wichtige Wirtschaftsgesetze, die den Kern einer Rahmenordnung für die Wirtschaft bilden, gilt dies in besonderer Weise.

Für den Unternehmer sind politische Entwicklungen vielfach gefährlich, die durch einen allzu rasch eintretenden Wertewandel gekennzeichnet sind. Der Präsident des Bayerischen Senats, *Hans Weiß,* sagte vor einiger Zeit, daß in der Bundesrepublik Deutschland — etwa zum Unterschied von den USA und Japan — die rasante technologische Entwicklung weniger von einem Strukturwandel als von einem Wertewandel begleitet worden sei.

Es seien die Fundamente und tragenden Säulen der modernen Industriegesellschaft angefochten worden: so das Leistungs- und Wettbewerbsprinzip, die Gesetze der Rationalität und Logik, ja auch der wissenschaftliche und technische Fortschritt sei in Frage gestellt worden. Dagegen sei die Forderung laut geworden, daß jedem einzelnen eine vollausreichende wirtschaftliche Versorgung zukommen müßte. Das Wertesystem der modernen Industriegesellschaft werde folgenschwer systematisch diffamiert.[133] Auch wenn man die Dinge weniger pessimistisch sieht, kann man nicht an der Tatsache vorbeigehen, daß die Neue Linke Denk- und Ideensätze hervorgebracht hat, die diesen sehr weitreichenden Wertewandel — keineswegs nur in der Bundesrepublik Deutschland — sichtbar werden lassen; viele junge Menschen, nicht zuletzt solche, denen durch eigene Arbeitslosigkeit das westliche marktwirtschaftliche Wirtschaftssystem längst suspekt geworden ist, lassen sich von den Parolen dieser Neuen Linken einnehmen. Es sind die Unternehmer, die im eigenen Interesse verpflichtet sind, solchen Denkansätzen entgegenzutreten. Es wird hier aber auch deutlich, wie sehr der Unternehmer zum Engagement in der Politik verpflichtet ist, wie weitreichend die geistig-ideologischen Voraussetzungen des politischen Entscheidungsprozesses den Unternehmer angehen. Dieser Unternehmer findet sich hier gewiß nicht allein, sondern mit jenen Persönlichkeiten und Gruppen verbunden, denen an einer stabilen Wirtschafts- und Gesellschaftsordnung gelegen ist.

Der große erst vor einiger Zeit verstorbene Wiener Existenzphilosoph *Leo Gabriel* hat hervorgehoben, daß die Krise unserer Zeit vor allem auf das Schwinden idealer Lebensbezüge, den mangelnden Glauben an das Geistige, an die Kraft und Macht der Ideen und Ideale zurückzuführen sei.[134] Der Idealismus der philosophischen Gedanken *Gabriels* muß auch dem Unternehmer zu denken geben, der letztlich keine materialistischen Interessen vertritt — trotz aller wirtschaftlichen Gebundenheit —, sondern in den Grundwerten der Freiheit und Eigenverantwortung sein Weltbild und seine grundsätzliche politische Orientierung bestimmen läßt. Es gibt auch manche positiven Aspekte im Zusammenhang mit dem Wertewandel: So stellt der Wirtschafts- und Organisationssoziologe *Lutz von Rosenstiel* fest, daß etwa Firmen, die für die Rüstungsproduktion arbeiten, angesichts des hohen Stellenwertes des Friedens in unserer Gesellschaft oft Schwierigkeiten haben, hochqualifizierte Mitarbeiter zu gewinnen oder zu halten; ähnlich sei es mit Unternehmen bestellt, die Produkte erzeugen, welche die Umwelt sehr stark belasten. *Rosenstiel* meint nun, daß dies zeige, daß die Firmen sich mit dem Wertewandel in unserer Zeit auseinandersetzen müssen, daß sie nicht einfach damit rechnen können, daß es sich hier um vorübergehende Erscheinungen handle. Dieser Wertewandel gehe vor allem von jüngeren Menschen mit gehobener Bildung aus; sie seien die eigentlichen Träger neuer Wertordnungen. Dieser Wertewandel zeige sich allerdings auch in der Hinsicht, daß Werte, die wir mit Pflicht und Akzeptieren des Vorgegebenen identifizieren, eher rückläufig sind; dagegen würden Einstellungen stärker hervortreten, die mit mehr Eigennutz, Lebensgenuß, Durchsetzung eigener Vorstellungen und Beachtung eigener Meinungen verbunden sind. Hier liegen gewiß auch nicht unbedingt Gesetzmäßigkeiten im strengen Sinn vor, aber deutliche Einstellungsänderungen. Sie müssen von den Unternehmern einfach zur Kenntnis genommen werden: Immerhin bestehen in gewissen Grenzen Möglichkeiten, den überschaubaren eigenen Mitarbeiterkreis zu beeinflussen. Im übrigen seien weniger die Politiker Vertreter neuer Werte, wenn man von politischen Randgruppen absieht, eher Persönlichkeiten aus dem Bildungswesen und den Medien. Es können aber auch Wandlungen mit Erfahrungen am Arbeitsplatz zusammenhängen: etwa positive Einstellung zum kleineren, überschaubaren Betrieb.[135] Diese und viele andere vergleichbare Beispiele können deutlich machen, daß nicht nur Gesetzmäßigkeiten im politischen Leben zu berücksichtigen sind, sondern besonders auch Veränderungen im geistig-ideologischen Bereich. Werthaltungen und Wertewandel werden immer mehr zu einem Gegenstand auch der wissenschaftlichen Forschung; die Meinungsbefragung versucht hier immer wieder, neues empirisches Datenmaterial vorzulegen. Hier müssen sich die Unternehmer orientieren: Dies auch als Voraussetzung für Gespräche im Betrieb mit vor allem jüngeren Mitarbeitern, deren Motivation oft entscheidend für den Erfolg des Unternehmens ist.

Auch in ihren politischen Zielsetzungen sind die Unternehmer auf die Durchsetzung mehr ethisch relevanter Entscheidungsmaximen angewiesen wie jede andere Minderheit. *Fritz Windhager* weist am Beispiel eines aussichtslosen Mißtrauensantrages einer parlamentarischen Minderheit gegen ein Regierungsmitglied nach, daß es im politischen Geschehen auch immer wieder auf die Demonstration bestimmter Grundhaltungen ankomme; es ist letztlich die Hoffnung auf die nicht wägbaren Kräfte im politischen Geschehen, die hier hervortritt. *Windhager* meint, auch eine Minderheit habe die Chance, im Rahmen eines Beziehungsgefüges bestimmte Verhaltensweisen so einzusetzen, daß sie einen gewissen Sanktionscharakter hätten.[136] Letztlich stehen den Unternehmern gerade durch die Kooperation ihrer Interessenvertretungen mit denen der Arbeitnehmer, so im System der sozialpartnerschaftlichen Kooperation, viele Möglichkeiten offen, ihre Forderungen mit größerer Demonstrationswirkung vorzubringen, als sie bei weniger gut organisierten Minderheiten bestehen.

Minderheiten müssen im politischen Entscheidungsprozeß vor allem auch die Chance des Kompromisses wahrnehmen. Gewiß sind Kompromisse gerade dort schwieriger, wo es um Grundsatzfragen geht: *Otfried Höffe* unterscheidet zwischen sittlichen Grundsätzen und Orientierungshilfen;[137] erstere gelten allgemein, letztere in der konkreten Entscheidungssituation als Entscheidungshilfen — gewiß immer mit einer bestimmten Variationsbreite. Auch aus der Unternehmerethik heraus müssen manche Fragen entschieden werden, die sehr grundsätzlicher Natur sind. So werden die Unternehmer Einschränkungen des Grundrechts der Erwerbsfreiheit nicht hinnehmen können, in der konkreten Ordnung des Wettbewerbes werden Kompromißlösungen unerläßlich sein. Auch in der Durchsetzung von Forderungen zur Verwirklichung jener „Gerechtigkeit als Fairness", die *John Rawls* herausstellt, sind Kompromisse notwendig.[138] So werden etwa Verteilungsprobleme meist nur im Wege von Kompromissen gelöst werden können.

Deutlich wird, daß auch die Unternehmer in der Politik — obwohl in einer Minderheitsposition und politisch nicht als geschlossener Block hervortretend — dennoch nicht einem anonymen politischen Machtprozeß unterliegen, nicht einer politischen Sachgesetzlichkeit, sondern in den Demokratien jener Handlungs- und Entscheidungsspielraum zumindest in gewissem Umfang gegeben ist, der für die Unternehmerethik als entscheidend angesehen wurde.

8.6 Unternehmerethik im internationalen Bereich

Die weltwirtschaftlichen Zusammenhänge lassen manche Fragen der Unternehmerethik besonders aus der internationalen Sicht deutlicher hervortreten. Die weltweiten Verpflichtungen zur Entwicklungshilfe treffen in erster Linie die Regierungen der Industrienationen, in weiterem Sinn gewiß alle Staaten in dem Sinn, daß mehr denn je internationale Kooperation notwendig ist, wenn nicht weite Teile der Staatenwelt in Armut und politisches Chaos absinken sollen. Das natürliche Interesse der Unternehmer an der Aufrechterhaltung stabiler politischer und wirtschaftlicher Verhältnisse innerstaatlich und international spricht für eine Verpflichtung der Unternehmer, dieser weltweiten Zusammenarbeit der Nationen und ihrer Volkswirtschaften reges Interesse entgegenzubringen.

Heute sind es vor allem Unternehmer und weithin multinationale Konzerne, die zu Trägern dieser weltweiten Kooperation geworden sind. Dabei wird gerade die Rolle der multinationalen Unternehmen — und dies nicht nur in der Gesellschaftskritik der Neuen Linken — immer wieder zum Gegenstand verzerrter Darstellungen.

Heute nehmen die internationalen Wirtschaftsgesellschaften eine wichtige Funktion in der Finanzierung zahlreicher Entwicklungsprojekte ein, weiters in der Heranbildung eines internationalen Führungspersonals für diese Unternehmen, dessen Bedeutung für die Verständigung zwischen den Nationen wichtig ist. Dazu kommt der bedeutsame Einfluß der multinationalen Unternehmen für den technischen Fortschritt. In zahlreichen Entwicklungsländern bestehen Tochter- und Partnerunternehmen, die „joint ventures" haben mit ihrer Investitions- und Entwicklungstätigkeit einen nachhaltigen Einfluß auf den wirtschaftlichen Kurs dieser Staaten genommen. Dadurch wird die industrielle Tätigkeit angeregt mit günstigen Folgen für die technische Entwicklung; es kommt auch zu positiven Wirkungen auf die Zahlungsbilanz dieser Länder. Die Schaffung von Dauerarbeitsplätzen und die Hebung des technisch-wirtschaftlichen Bildungsniveaus bleibt eine weitere weithin sichtbare Folge.

So gesehen kommt den Unternehmern, die in ihren Aktivitäten mit den Ländern der Dritten Welt verbunden sind, eine große Aufgabe an der Mitwirkung der wirtschaftlichen und bildungsmäßigen Entfaltung dieser Staaten zu. Daß aber vor allem auch die Regierungen der Dritten Welt die Aufgabe haben, dem privaten Unternehmertum möglichst freie Entfaltungsmöglichkeiten zu sichern, mehr Anreize für die Investitionstätigkeit für das private Kapital zu geben, müßte mehr als bisher auch in das Bewußtsein der öffentlichen Meinung in diesen Ländern dringen, vor allem aber von den politisch bestimmenden Gruppen in diesen Staaten beachtet werden.

Vor allem geht es um die Heranbildung möglichst vieler Unternehmer in diesen Ländern selbst: Im Fehlen einer einheimischen Unternehmerschaft muß neben dem Kapitalmangel das größte Hindernis für die wirtschaftliche Entwicklung dieser Staaten gesehen werden. Es geht im Sinne der Unternehmerethik um Unternehmerpersönlichkeiten, die einen ausreichenden Handlungs- und Entscheidungsspielraum haben, die nicht durch Dirigismus und Interventionismus — durchaus normale Phänomene in den meisten Entwicklungsländern — behindert werden.

Diese Unternehmer aus der einheimischen Bevölkerung müssen auch in der Lage sein, einem da und dort gegebenen zu einseitigen Einfluß mancher multinationaler Unternehmen entgegenzuwirken.

In manchen Forderungen von Entwicklungsländern, vor allem in der Konzeption einer „Neuen Internationalen Wirtschaftsordnung", wurden da und dort Vorstellungen zum Ausdruck gebracht, die sich gegen die marktwirtschaftliche Ordnung westlicher Industriestaaten richten. Weitgehende Indexbindungen im Rohstoffbereich, Kartellierung, verstärkte Kontrolle transnationaler Unternehmen, Schaffung bestimmter Präferenzsysteme und anderes mehr ist auf massiven Widerstand der meisten Industriestaaten gestoßen. Bei aller Notwendigkeit, in Teilbereichen durch solche und andere Regelungen eine gewisse Preisstabilisierung für wichtige Exportgüter von Staaten der Dritten Welt zu erreichen, würde ein Aufgeben des auf marktwirtschaftlichen Grundsätzen beruhenden Ordnungssystems der Mehrheit der Staaten der westlichen Welt enorme Nachteile bringen.

Generell hat ein weltweites Konzept, „die Wirkungsweise des Marktmechanismus im internationalen Bereich eher einzuschränken und statt dessen durch direkte Interventionen auf den Märkten für Rohstoffe und andere Erzeugnisse eine Umleitung der Einkommensströme auf die Entwicklungsländer zu erreichen" *(Josef Marko)*, wenig Chancen.[139]

Die Industrieländer haben auf weite Sicht vor allem mit dem Problem der Arbeitslosigkeit zu kämpfen und können so weitreichende Systemveränderungen nicht akzeptieren. Es geht — wie im nationalen Bereich im Fall der Landwirtschaft — um sektorale Teillösungen, wie sie bei den bewährten Rohstoffabkommen schon realisiert wurden.

Im übrigen bleibt die weltweite wirtschaftliche Entwicklung mit dem Ziel einer größeren Harmonisierung zwischen den Staatengruppen, zwischen den Industrieländern und denen der Dritten Welt eine Aufgabe, die nicht von den Regierungen allein bewältigt werden kann, sondern die zuerst und vor allem eine Aufgabe ist, die den Unternehmern weltweit gestellt ist. Hier liegt eine der größten Bewährungsproben, die sich je dem Unternehmertum gestellt haben.

9 Zusammenfassung und Schlußfolgerungen

9.1 Die Unternehmerethik im System der Ethik

Die Unternehmerethik ist im normativen Sinn die Lehre vom rechten Handeln und Entscheiden des Unternehmers in existentiellen Fragen, in denen eine Orientierung an ökonomisch-rationalen Motiven nicht ausreicht. In diesem Sinn handelt es sich um eine Form der Individualethik: eine auf die Person des Unternehmers abgestellte Sollenslehre. Im besonderen ist die Unternehmerethik *Persönlichkeitsethik:* Es ist dem Menschen aufgetragen, sein Selbst zu verwirklichen, seine Persönlichkeit zu entfalten, die in ihm angelegten Kräfte zur Durchsetzung zu bringen *(Johannes Messner).*[140] Diese Selbstverwirklichung ist nur dem Menschen möglich: Sie bedarf einer immer neu sichtbaren Eigeninitiative. Der Unternehmer ist seinen ganzen Aufgaben nach auf eine solche Selbstverwirklichung in seiner beruflichen und persönlichen Situation hin angelegt. Der Wettbewerb zwingt ihn immer wieder dazu, seine Fähigkeiten zur Geltung zu bringen.

Der Unternehmer lebt nicht isoliert von der Gesellschaft, sondern in seinem Unternehmen, im Kontakt mit den Mitarbeitern, mit Kunden und Geschäftsfreunden, mit Personen aus der Verwaltung und den Interessenvertretungen und vielen anderen. Vielfach ist er auch als Funktionär oder (und) Politiker tätig: So gehen seine Aktivitäten über den Unternehmensbereich hinaus, er wird selbst mitgestaltend am Gesellschaftsleben, oft auch am politischen Entscheidungsprozeß tätig. So treten an ihn auch in sozialethischer Hinsicht Aufgaben und Anforderungen heran. Auf jeden Fall stellen sich immer wieder auch Probleme der Sozialethik im Zusammenhang mit der Unternehmerethik, vor allem solche der politischen Ethik.

* Unternehmerethik ist in gewisser Hinsicht Teilbereich der *Wirtschaftsethik,* wenn auch manche Fragestellungen gesellschaftspolitischer Art — etwa im Zusammenhang mit dem Bildungsproblem — über das eigentlich Ökonomische hinausgehen. Der Standort der Unternehmerethik wurde in der ethischen Theorie vor allem mit dem *Utilitarismus* umschrieben: Das Nutzenprinzip allein reicht zur Kennzeichnung der geistig-ideologischen Position nicht aus: Pragmatismus sieht mehr auf die Folgen des Handelns als auf die Wahrheit menschlicher Urteile. Es ist ein pragmatisch-teleologisches Denken, das in der Unternehmerethik hervortritt.

* Die Entscheidungssituation des Unternehmers ist überaus differenziert und unterschiedlich: So treten Gesichtspunkte der *Situationsethik* hervor. Im übrigen ist es das vielseitige Gedankengut des Liberalismus, das hier auch bestimmend mitwirkt.

* Unternehmerethik ist vor allem *Verantwortungsethik:* Es ist der in schwieriger Handlungs- und Entscheidungssituation stehende Unternehmer, dem in der modernen so komplexen Wirtschaftsgesellschaft, aber auch im politischen System ein wichtiger Verantwortungsbereich zukommt.

* Ethik ist mehr als ein Normensystem: Sie ist die Wissenschaft von den *sittlich relevanten Tatsachen,* von den letztmöglichen *Begründungs-* und *Rechtfertigungsfragen von Moral,* von sittlichem Handeln und Entscheiden.[141] In diesem Sinn wird vor allem die Tatsache und die Funktion des Gewissens zu einer entscheidenden Frage: Auch in der Unternehmerethik kommt der Gewissensentscheidung erstrangige Bedeutung zu. Unternehmerethik im weiteren Sinn ist Teilbereich dieser Ethik: Sie stützt sich auf die Erkenntnisse und

Einsichten der allgemeinen Ethik, so insbesondere auf die Erkenntnisse über das Gewissen als Erfahrungstatsache. Die Gewissenslage im Menschen ermöglicht eine Grundeinsicht in die allgemeinsten und unmittelbar einsichtigen sittlichen Wahrheiten.[142] Davon wird auch die Unternehmerethik ausgehen.

9.2 Die Entscheidungssituation im Mittelpunkt der Unternehmerethik

Verpflichtungen können nur erfüllt werden, wenn der Mensch die Möglichkeit hat, entsprechende Handlungen zu setzen. In diesem Sinn stellt *Otfried Höffe* fest, daß die Rede von einer Verbindlichkeit nur dort sinnvoll ist, wo der Handelnde in seinem Handeln frei ist. Das hindere nicht, daß eben dieser Handelnde mannigfachen Bindungen unterworfen ist, diese dürfen aber nicht unabänderliche Fakten sein. Der Handelnde müsse sich ihnen auch entgegensetzen können, „sich in ein Verhältnis zu ihnen setzen und sie benennen, beurteilen und anerkennen oder aber sich ihnen verweigern können".[143]

Der Unternehmer sieht sich vor immer neue Herausforderungen gestellt: Entscheidungssituationen können weitgehend nur durch dynamische und wagemutige Haltungen bewältigt werden. Sachzwänge engen den Handlungs- und Entscheidungsspielraum vielfach ein: Diesen möglichst zu erweitern, wird auch zur Aufgabe einer Wirtschafts- und Gesellschaftspolitik, die sich im Sinne des Subsidiaritätsprinzips um eine Sozialordnung bemüht, in der Eigenständigkeit und Selbstverantwortung bestimmend sind.

Es geht um eine *offene Gesellschaft,* in der freie Unternehmer nach rationalen Motiven aus ihrer Gewissensverantwortung heraus entscheiden und handeln können. Eine solche offene Gesellschaft setzt stabile politische Verhältnisse voraus, ein freiheitsorientiertes politisches System, verbunden mit einer Wirtschaftsordnung der geordneten Freiheit: Dies bedeutet funktionsfähigen Wettbewerb und eine zumindest im Grundsätzlichen marktwirtschaftliche Ordnung.

Unternehmerentscheidungen erfolgen immer in gesellschaftlicher Verbundenheit: Sie dürfen daher nicht aus ihrem sozialen Zusammenhang herausgelöst werden. Der Unternehmer steht wie jeder andere Mensch in solidarischer Verbundenheit in dieser Gesellschaft. Aus seiner wichtigen gesellschaftlichen Position ergeben sich besondere *Solidaritätsverpflichtungen* auf verschiedenen Ebenen: Davon werden auch die konkreten Entscheidungen wesentlich mitbestimmt.

Unternehmer sind in ihren Entscheidungen immer wieder auch kreativ: Sie müssen neue Anforderungen und Herausforderungen mit neuen Methoden und Möglichkeiten bewältigen. Dies gilt nicht nur für Probleme der technologischen Entwicklung. Die Herausforderungen etwa im Umweltbereich stellen sich als solche Fragen einer *„neuen" Ethik: Otto Kimminich* betont, daß jeder Verantwortung für die Umwelt trägt, wobei das Ausmaß von der Machtstellung des einzelnen abhängt.[144] Im Zusammenhang mit dem enorm wachsenden Energiebedarf verschärft sich das Umweltproblem immer mehr: So treten, wie die Entwicklung der Kernenergiewirtschaft zeigt, hier völlig neue Herausforderungen an die Unternehmer heran.[145] Mit den Dimensionen der neuen Gegebenheiten wachsen auch die Ausmaße der Verantwortung: in diesem Sinn auch der Unternehmerethik als Verantwortungsethik.

9.3 Die Unternehmerpersönlichkeit

Kreativität, Leistungsfreude, Einfallsreichtum, Entschlußfreudigkeit, Innovationsbereitschaft — diese und viele andere Eigenschaften finden sich beim Unternehmer. Eine realitätsbezogene Analyse zeigt freilich, daß viele Unternehmen auch ohne erstrangige Voraussetzungen dieser Art geführt werden können: Dennoch gilt für alle in härterem Wettbewerb stehenden Unternehmen, daß besondere Fähigkeiten des Unternehmers entscheidend sind, um das Hauptziel des Unternehmens, seine Existenzsicherung und die Sicherung eines entsprechenden Unternehmererfolges, zu erreichen.

Für die Haltung des Unternehmers im Wettbewerb wurde die *Fairness* als entscheidend herausgestellt. Wie in anderen Bereichen kann auch im Wettbewerb die rechtliche Ordnung nur einen sehr allgemeinen Rahmen setzen. Unentbehrlich sind ethisch relevante Grundhaltungen, um zu einem fairen Wettbewerb zu kommen. Die „Goldene Regel", die Grundsätze des Wettbewerbsrechts mit dem Begriff der Handlungen gegen die guten Sitten — all das weist auf Gegebenheiten der Unternehmerethik hin. Zu den Fähigkeiten, die zur technisch-organisatorischen Führung des Unternehmens erforderlich sind, kommt zumindest in mittleren und größeren Unternehmungen auch die Fähigkeit des Unternehmers, seine Mitarbeiter zur bestmöglichen Mitwirkung an den Aufgaben des Unternehmens zu motivieren. Dazu gehören Grundhaltungen wie Führungsqualität, soziales Verantwortungsbewußtsein und Menschenkenntnis.

Heute sind *Eigenunternehmer* ebenso wie *Manager* in allen Wirtschaftsbereichen erforderlich. Dennoch kommt, wie gerade aus der Sicht der Unternehmerethik deutlich wird, dem Eigenunternehmer eine besondere Rolle und Funktion in der modernen Wirtschaftsgesellschaft zu. Es geht um die Behauptung der entscheidenden Bedeutung des Privateigentums auch an den Produktionsmitteln. Damit verbindet sich die hohe Einschätzung der Bedeutung des mittelständischen Unternehmers in einer zukunftsweisenden Gesellschaftspolitik.

9.4 In gesellschaftlicher Verbundenheit

Viele Unternehmer müssen heute weit über ihre Verpflichtungen in Betrieb und Unternehmen hinaus wichtige Funktionen in Gesellschaft und Politik wahrnehmen, sei es als Verbandsfunktionär oder als Politiker; vielfach verbinden sich beide Funktionen. Aus der Sicht der Unternehmerethik erscheint die Übernahme dieser verantwortungsvollen Aufgaben sinnvoll und notwendig: Die Erhaltung und Sicherung eines freiheitsorientierten Wirtschafts- und Sozialsystems verlangt die aktive Mitwirkung möglichst vieler Unternehmer in der Öffentlichkeit, darüber hinaus von allen Unternehmern ein reges politisches Interesse und die Bereitschaft zur Unterstützung dieser und Mitwirkung an diesen Aktivitäten, vor allem auch an den Aufgaben der eigenen Interessenvertretung der Unternehmer. Die heute so stark von den Interessenverbänden mitbestimmte Demokratie verlangt auch ausgeglichene Vertretungen: Sonst stünde einer Machtkonzentration bei den Gewerkschaften eine schwache Interessenvertretung der Arbeitgeber gegenüber.

Politik als Ordnungsaufgabe verlangt die Mitwirkung unabhängiger Persönlichkeiten: Diese sind eher in der Lage, gewissen Trends entgegenzuwirken, die zu neuen Formen von Abhängigkeit führen. Die großen gesellschaftspolitischen Aufgaben wie die Friedenssicherung im innerstaatlichen Bereich, das Problem der möglichst gerechten Einkommensverteilung, die Erhaltung einer funktionsfähigen Wettbewerbsordnung, die Lösung des Umweltproblems und vieles mehr kann ohne aktive Mitwirkung der Unternehmer und ihrer Interessenvertretungen nicht gelöst werden. Die Unternehmerethik verweist auf diese Zusammenhänge und stellt die an den Unternehmer gerichteten Aufgaben als Herausforderung besonderer Art dar. In diesem Sinn ist Unternehmerethik Verantwortungsethik.

9.5 Die Wirtschaft — ein Kultursachbereich

Die Wirtschaft ist integrierter Bestandteil der Kultur. Die Unternehmer erzeugen alle Güter und stellen die Dienstleistungen bei, die zur geistig-kulturellen Entwicklung erforderlich sind. Die wirtschaftliche Tätigkeit selbst aber ist Verwirklichung kultureller Werte. Im übrigen tragen die Unternehmer durch ihr Engagement in der Politik, durch die Stärkung dezentraler Kräfte sehr wesentlich zu einer demokratischen und humanen politischen Kultur bei.

José Ortega y Gasset stellt fest, daß in der vielseitigen Selbstentfremdung unserer Zeit der Mensch seine wesentlichste Eigenschaft verliere, „die Fähigkeit, nachzudenken, sich in sich selbst zu sammeln".[146] Gerade in dieser Fähigkeit liegt eine besondere Chance des kulturellen und geistigen Lebens. Unternehmerethik weist auf die Notwendigkeit eines eigenständigen und kreativen Denkens hin. *Ortega* sagt dazu noch, daß die Einmischung des Staates in so viele Bereiche, ja geradezu eine Verstaatlichung unseres Lebens zu einer Unterdrückung der Spontaneität führe, einer Einschränkung der schöpferischen Kräfte im Menschen. Aus der Sicht der Unternehmerethik geht es um die Sicherung jener Freiheitsräume, die auch für die Gewährleistung einer freien und unabhängigen Unternehmerentscheidung notwendig sind. Diese offene Gesellschaft garantiert auch bestmögliche geistig-kulturelle Entwicklungschancen.

Diese offene Gesellschaft verlangt aber eine „Sozialwirtschaft der geordneten Freiheit": *Karl Heinz Grenner* stellt diese Ordnungskonzeption im Sinne von *Johannes Messner* als zukunftsweisend heraus. Es geht in diesem Wirtschaftssystem um eine menschenwürdige Existenz für die Mehrzahl der Menschen — wenn möglich in weiterer Zukunft für alle.[147]

Heute wird für immer mehr Menschen die Frage nach dem Sinn des Lebens immer wichtiger, vor allem mit zunehmendem Alter.

Materielle Werte stehen nicht mehr so sehr im Vordergrund der persönlichen Interessen; empirische Untersuchungen zeigen deutlich — so auch bei Führungskräften in der Wirtschaft —, daß die persönliche Unabhängigkeit hohen Wertrang genießt, die Sinnfragen immer mehr hervortreten.[148] Damit wächst auch die Chance, daß immer mehr politische Kräfte auf eine Ordnung der Wirtschaft und der Gesellschaft hin drängen, die vom Ordnungsgrundsatz der Freiheit ausgeht und die ein Wirtschaftssystem der geordneten Freiheit verwirklicht.

Anmerkungen

1 Clemens August Andreae: Art. Unternehmer, in: Kath. Soziallexikon, hrsg. von Alfred Klose, Wolfgang Mantl, Valentin Zsifkovits, Graz — Innsbruck ²1980, Sp. 3102 ff.
2 Grundsatzprogramm der österr. Handelskammerorganisation, Wien 1978, S. 5 f.
3 Hermann J. Abs: Macht und Verantwortung des Unternehmers, in: Was machen die Unternehmer, hrsg. von Ernst H. Plesser, Herderbücherei 505, Freiburg i. Br. 1974, S. 26 ff.
4 Erwin Ringel: Die österreichische Seele, Wien 1984, S. 56 f.
5 Felix Mlczoch: Vortrag „Arzt sein aus christlicher Sicht", 13. 5. 1985 in Wien.
6 Johannes Messner: Die soziale Frage, 7. Aufl., Innsbruck u. a. 1964, S. 359 ff.
7 Johannes Messner: Das Naturrecht, 5. Aufl., Innsbruck u. a. 1966, S. 1005 f.
8 Gerhard Merk: Jung-Stilling-Lexikon Wirtschaft, Berlin 1987, S. 161.
9 Grundsatzprogramm der österr. Handelskammerorganisation, a. a. O., S. 11 f.
10 Johannes Messner: Der Eigenunternehmer in Wirtschafts- und Gesellschaftspolitik, Heidelberg 1964, S. 51 f.
11 Bericht über den Kongreß bei Alfred Klose: Zur Gemeinwohlproblematik, in: Selbstinteresse und Gemeinwohl, hrsg. von Anton Rauscher, Berlin 1985, S. 520 f.
12 Wolfgang Schmitz: Die humanitäre Alternative, in: Die Industrie, Wien 7/1983.
13 Johannes Messner: Das Naturrecht, a. a. O., S. 1152 ff.
14 Rolf Kramer: Sozialethische Grundlagen der Ordnungspolitik, in: Marktwirtschaft und Gesellschaftsordnung, Festschrift für Wolfgang Schmitz, hrsg. von Alfred Klose und Gerhard Merk, Berlin 1983, S. 37 ff.
15 Bruno Schüller: Art. Utilitarismus, in Kath. Soziallexikon, s. Anm. 1, Sp. 3120 ff.
16 Ulrich Matz: Aporien individualistischer Gemeinwohlkonzepte, in: Selbstinteresse und Gemeinwohl, hrsg. von Anton Rauscher, Berlin 1985, S. 325 ff.
17 Matz nennt den Begriff „benevolence" bei Jeremy Bentham, An Introduction to Principles of Morals and Legislation, London 1789, Ch. 5, Sect. 10
18 Ulrich Matz, a. a. O., S. 326 f.
19 Johannes Messner: Das Naturrecht, a. a. O., S. 191 f.
20 Franz Furger, Art. Pragmatismus, in: Kath. Soziallexikon, s. Anm. 1, Sp. 2224 ff.
21 Franz Furger: a. a. O.
22 Helmut Juros: Art. Situationsethik, in: Kath. Soziallexikon, s. Anm. 1, Sp. 2567 ff.

23 Gerhard Merk: Ursatz, Leitsätze und Erfahrung in der Ethik, in: Erfahrungsbezogene Ethik, Festschrift für Johannes Messner, hrgs. von Valentin Zsifkovits und Rudolf Weiler, Berlin 1981, S. 193 ff.

24 Rainer Koch: Art. Liberalismus, in: Handlexikon zur Politikwissenschaft, hrsg. von Wolfgang W. Mickel, München 1983, S. 276 ff.

25 Arthur Fridolin Utz: Die Problematik der offenen Gesellschaft, in: Die offene Gesellschaft und ihre Ideologie, hrsg. von A. F. Utz, Bonn 1986, S. 16.

26 Josef Oelinger: Art. Liberalismus, in: Kath. Soziallexikon, s. Anm. 1, Sp. 1652 ff.

27 Theodor Strohm: Wirtschaft und Ethik — Leitlinien der evangelischen Sozialethik für modernes wirtschaftliches Handeln, in: Gemeinsam für die Zukunft — Kirchen und Wirtschaft im Gespräch, hrsg. von Wolfgang Kramer und Michael Spangenberger, Köln 1984, S. 29 ff.

28 Josef Stingl: Das Recht auf Arbeit, in: Gemeinsam für die Zukunft, s. Anm. 27, S. 351 ff.

29 Johannes Messner: Das Naturrecht, a. a. O., S. 1004, 1191 ff; Arthur Fridolin Utz: Sozialethik, III. Teil: Die soziale Ordnung, Bonn 1986, S. 55 f.

30 Gerhard Merk: Ausgewählte Aufsätze zur Wirtschaftstheorie, Zürich 1986, S. 60 ff.

31 Wilhelm Weber: Der Unternehmer — Eine umstrittene Sozialgestalt zwischen Ideologie und Wirklichkeit, Köln 1973, S. 62 f.

32 Die Industrie, Wien 16/1987 (15. 4. 1987), S. 14 f.

33 Arthur Fridolin Utz: Sozialethik, III. Teil: Die soziale Ordnung, Bonn 1986, S. 146 ff.

34 Arthur Fridolin Utz: s. Anm. 33, S. 149 f.

35 Norbert Hoerster: Art. Utilitarismus, in: Wissenschaftstheoretisches Lexikon, hrsg. von Edmund Braun und Hans Rademacher, Graz u. a. 1978, Sp. 624 ff.

36 Richard Allen Posner: Die Ethik der Wohlstandsmaximierung, in: Der Unternehmer, Wien 5/1987, S. 32 f.

37 Karl Martin Bolte: Art. Berufsprestige, in: Wörterbuch der Soziologie, hrsg. von Wilhelm Bernsdorf, Frankfurt 1975, Bd. 1, S. 104 ff.

38 Arthur Fridolin Utz: Sozialethik, III. Teil, Die soziale Ordnung, Bonn 1986, S. 55 f.

39 Karl R. Popper: Die offene Gesellschaft und ihre Feinde, München, 4. Aufl., 1975, S. 233 f.

40 Hans Joachim Türk: Die Rettung der Gesellschaft aus dem Wertchaos in christlicher Sicht, in: Die offene Gesellschaft und ihre Ideologien, hrsg. von Arthur Fridolin Utz, Bonn 1986, S. 311 ff.

41 Hans Joachim Türk: a. a. O., S. 316 f.

42 Erich Bodzenta: Art. Sozialer Wandel, in: Kath. Soziallexikon, s. Anm. 1, Sp. 2669 ff.

43 Joachim Kondziela: Art. Solidaritätsprinzip, in: Kath. Soziallexikon, s. Anm.

1, Sp. 2577 ff.

44 Joachim Kondziela: a. a. O.

45 Jozef Tischner: Ethik der Solidarität: Prinzipien einer neuen Hoffnung, Graz u. a. 1982.

46 Franz H. Mueller: Heinrich Pesch, sein Leben und seine Lehre, Köln 1980, S. 138 ff.

47 Enzyklika Laborem exercens, Kap. 8 ff., 16 ff.

48 Arthur Rich: Wirtschaftsethik, 2. Aufl., Gütersloh 1985, S. 224 ff.

49 Alfred Jäger: Sozialethik als Schwerpunkt theologischer Ethik, in: Gerechtigkeit — Themen der Sozialethik, hrsg. von Armin Wildermuth und Alfred Jäger, Tübingen 1981, S. 17 ff.

50 Anton Rauscher: Wissen und Gewissen als Grundlage von Entscheidungen, in: Menschen im Entscheidungsprozeß, hrsg. von Alfred Klose und Rudolf Weiler, Wien 1971, S. 47.

51 Rudolf Weiler: Der Mensch in der Entscheidung, in: s. Anm. 50, S. 17 ff.

52 Michael Landmann: Ökologische und anthropologische Verantwortung — eine neue Dimension der Ethik, in: Anm. 49, S. 157 ff.

53 Wilhelm Weber: Unternehmer im Entscheidungsprozeß, in: Menschen im Entscheidungsprozeß, hrsg. von Alfred Klose und Rudolf Weiler, Wien u. a. 1971, S. 265 ff.

54 Wilhelm Weber: s. Anm. 53.

55 Gilbert Norden: Einkommensgerechtigkeit — was darunter verstanden wird, Wien u. a. 1985, S. 51 ff.

56 Peter Christian Lutz (Hrsg.): DDR-Handbuch, 2. Aufl., Köln 1979, S. 485 ff.

57 Gerhard Merk: Programmierte Einführung in die Volkswirtschaftslehre, Bd. II: Haushalte, Unternehmen und Markt, Wiesbaden 1974, S. 244.

58 Frankfurter Allgemeine, 2. 9. 1987, S. 15.

59 Johannes Messner: Das Naturrecht, a. a. O., S. 360 f.

60 Wolfgang Hefermehl: Einführung, in: Wettbewerbsrecht und Kartellrecht, dtv-Taschenbuchreihe, 4. Aufl., München 1971, S. 7 ff.

61 Bundesgesetz vom 29. 7. 1977 zur Verbesserung der Nahversorgung und der Wettbewerbsbedingungen, BGBl. 392/1977.

62 Abgedruckt bei Johann Farnleitner und Viktor A. Straberger: Nahversorgungsgesetz — Eisenstadt 1978, S. 121 ff.

63 Beirat für Wirtschafts- und Sozialfragen: Öffnungszeiten, Schriftenreihe des Beirates, Wien 1986, S. 86.

64 Wilhelm Weber: Unternehmer im Entscheidungsprozeß, s. Anm. 53, S. 271.

65 Wilhelm Weber: a. a. O. (Anm. 64), S. 265 ff.

66 Grundsatzprogramm der österr. Handelskammerorganisation, Wien 1978, S. 34.

67 Rudolf Weiler: Der Mensch in der Entscheidung, s. Anm. 50, S. 21.

68 Klaus Heilmann: Technischer Fortschritt und Risiko, in: Kirche und Unternehmen in Verantwortung für die Probleme unserer Zeit, hrsg. von Gerhard Fels und Winfried Schlaffke, Köln 1984, S. 83 ff.

69 Heribert Lehenhofer: Friede und Umweltpolitik, in: Friede und Gesellschaftsordnung, hrsg. von Alfred Klose, Heribert Köck, Herbert Schambeck, Berlin 1988 (im Erscheinen).

70 Michael Landmann: Ökologische und anthropologische Verantwortung — eine neue Dimension der Ethik, in: Gerechtigkeit, hrsg. von Armin Wildermuth und Alfred Jäger, Tübingen 1981, S. 157 ff.

71 Johann Millendorfer: Art. Umweltschutz, in: Kath. Soziallexikon (s. Anm. 1), Sp. 3093 ff.

72 Helmut Beran: Neue Technologien als Strategien des Überlebens, in: Aspekte, Argumente, Alternativen, hrsg. von Josef Höchtl, Wien 1980, S. 78 ff.

73 Andreas Unterberger: Alternativ leben, um einfach zu überleben, in: s. Anm. 72, S. 65 ff.

74 Valentin Zsifkovits: Ethik des Friedens, Linz 1987, S. 100 f.

75 Shuhei Aida: Öko-Technologie, in: Ost-West-Symposion Umwelttechnologie, Wien-Zürich 1987, S. 33 ff.

76 Otto Kimminich: Umweltschutz-Prüfstein der Rechtsstaatlichkeit, Linz 1987, S. 54 ff.

77 Heinrich Schneider: Erfordernisse des Friedens — ein Diskussionsbeitrag, Wien 1982, S. 22 f.

78 Horst Eckardt: Handlexikon der modernen Managementpraxis, München 1971, S. 453.

79 Walther Busse v. Coller, Manfred Perlitz: Art. Unternehmenspolitik, in: Handwörterbuch der Wirtschaftswissenschaften, Bd. 8, hrsg. von Willi Albers u. a. Stuttgart 1980, S. 145 ff.

80 Arthur Fridolin Utz, J. F. Groner: Aufbau und Entfaltung des gesellschaftlichen Lebens. Soziale Summe Pius' XII., 3 Bde., Fribourg 1954—1961, 3264, 3349.

81 Enzyklika Mater et magistra, Kap. 91 ff.

82 Pastoralkonstitution „Über die Kirche in der Welt von heute", Kap. 68.

83 Wolfram Seidel: Art. Konfliktsteuerung im Betrieb, in: Management-Lexikon des Verlags moderne Industrie, München 1973, Ergänzungsband, S. 415 ff.

84 Elisabeth Liefmann-Keil: Die Koordination von Leistungs- und Bedarfsprinzip im System der sozialen Sicherheit, in: Leistungsgesellschaft und Mitmenschlichkeit, hrsg. von Gerard Gäfgen, Limburg 1972, S. 88 ff.

85 Rolf Kramer: Arbeit, Göttingen 1982, S. 69 ff.

86 Arthur Rich: Grundlagen der Sozialethik, in: Gerechtigkeit — Themen der Sozialethik, hrsg. von Armin Wildermuth und Alfred Jäger, Tübingen 1981, S. 30 ff.

87 Egon Tuchtfeldt: Der Gerechtigkeitsbegriff im Wandel, in: Wirtschaftsethik — Ausweg aus der Ordnungskrise, Sonderheft Neue Ordnung, Walberberg 1986, S. 73 ff.

88 Enzyklika Rerum novarum, Kap. 17.

89 Enzyklia Mater et magistra, Kap. 74, 75.

90 Pastoralkonstitution über die Kirche in der Welt von heute, Kap. 67.

91 Johannes Messner: Das Naturrecht a. a. O., S. 431 ff.
92 Hans Ruh: Gerechtigkeitstheorien, in: Themen der Sozialethik, hrsg. von Armin Wildermuth und Alfred Jäger, Tübingen 1981, S. 58 f.
93 Arthur Rich: Wirtschaftsethik, Gütersloh 1984, S. 203 f.
94 Rolf Kramer: a. a. O., S. 105 ff.
95 Enz. Quadragesimo anno, Kap. 69, 136.
96 Enz. Populorum progressio, Kap. 21, 27; Enz. Laborem exercens, Kap. 2 ff.
97 Enzyklika Mater et magistra, Kap. 91.
98 Karl Abraham: Art. Wirtschaftspädagogik, in: Kath. Soziallexikon, s. Anm. 1, Sp. 3385 ff.
99 Grundsatzprogramm der österr. Handelskammerorganisation, Wien 1978, S. 34 f.
100 Norbert Kailer: Handbuch für die Bildungsarbeit in Klein- und Mittelbetrieben, Wien 1987, insbes. S. 85 ff.
101 Norbert Kailer: a. a. O., S. 2.
102 Rudolf Messner: Die Wiederbelebung eigenständigen Lernens — Über Voraussetzungen gelingender Lernprozesse, in: Klaus Heipcke u. a.: Konstitution von Lerninhalten und eigenständiges Lernen, Kassel 1980, S. 119 ff.
103 Hilarion Petzold, Klaus Reinhold: Humanistische Psychologie, integrative Therapie und Erwachsenenbildung, in: Menschenerweckende Erwachsenenbildung, Festschrift für Ignaz Zangerle, Red.-Leitung: Karl Garnitschnig, Wien 1983, S. 49 ff.
104 Karl Abraham: a. a. O.
105 Karl Abraham: a. a. O.; dazu auch Doris Böggemann: Jugendfreizeit und Jugendarbeit in der Krise, Paderborn u. a. 1985, S. 39 ff.
106 Norbert Kailer: a. a. O., S. 78.
107 Walter Eberle, Winfried Schlaffke: Gesellschaftskritik von A bis Z, Herder-Bücherei Bd. 450, Freiburg 1973, S. 47.
108 Werner Fuchs: Art. Kulturträger, in: Lexikon zur Soziologie, hrsg. von Werner Fuchs u. a., Reinbek bei Hamburg 1975, Bd. 1, S. 388.
109 Monika Streissler: Art. Konsum, in: Kath. Soziallexikon, s. Anm. 1, Sp. 1500 ff.
110 Alfred Klose, Friedrich Mayer (Hrsg.): Qualitätspolitik — ihre Möglichkeiten und Grenzen in Österreich, Schriftenreihe Sicherheit und Demokratie, Heft 7/8, Wien 1983.
111 Friedrich Mayer: Das qualitätssichernde Servicesystem der ARGE Qualitätsarbeit, in: Qualitätspolitik (s. Anm. 110), S. 12 ff.
112 Erhard Busek, Christian Festa, Inge Görner: Auf dem Weg zur qualitativen Marktwirtschaft, Wien 1975, S. 65, 100 ff.
113 So etwa: Alfred Klose: Ein Weg zur Sozialpartnerschaft, Wien 1970; Thomas Lachs: Wirtschaftspartnerschaft in Österreich, Wien 1976; Bernd Marin: Die Paritätische Kommission — Aufgeklärter Technokorporatismus in Österreich, Wien 1982; Peter Gerlich, Edgar Grande, Wolfgang C. Müller (Hrsg.): Sozialpartnerschaft in der Krise, Wien u. a. 1985.

114 Karl Korinek: Wirtschaftliche Selbstverwaltung, Wien-New York 1970, S. 195 ff.

115 Heribert Lehenhofer: Wirtschaftsethik — Das Gewissen in der Wirtschaftspolitik, in: Wirtschaftsethik, hrsg. von Alfred Klose, Wien 1984, S. 27.

116 John Rawls: Eine Theorie der Gerechtigkeit, Frankfurt 1975, S. 23 ff.

117 Arthur Rich: Wirtschaftsethik, 2. Aufl., Gütersloh 1985, S. 208.

118 Bernd Marin (Hrsg): Wachstumskrisen in Österreich? Bd. 2, Szenarios, Wien 1979, S. 157 ff., 220 ff., 242 ff.

119 Dazu insbes.: Phänomen Sozialpartnerschaft, hrsg. von Gerald Schöpfer, Wien u. a. 1980, darin: Ferdinand Kopp: Die Sozialpartnerschaft als Element der modernen rechtsstaatlichen Demokratie, S. 43 ff.; Alfred Klose: Die Sozialpartnerschaft als Konfliktregelungssystem, S. 75 ff.

120 Friedrich Fürstenberg: Sozialkulturelle Aspekte der Sozialpartnerschaft, in: Peter Gerlich u. a. (Hrsg.): Sozialpartnerschaft in der Krise, Wien u. a. 1985, S. 29 ff.

121 Helmut Renöckl: Nietzsches Kritik der wissenschaftlichen Zivilisation und der abendländischen Moral, Vortrag beim Polnisch-Österr. Soziologentreffen 1980 in Lublin.

122 Wilhelm F. Kasch (Hrsg.): Geld und Glaube, Bayreuther Kolloquium (1978), Paderborn 1979, S. 220.

123 Grundsatzprogramm der österr. Handelskammerorganisation, Wien 1978, S. 7 ff.

124 Gerhard Müller: Zukunftsaspekte des Arbeitskampfrechtes — Vertiefte Sicht bisheriger Grundsätze, in: Krise der Gewerkschaften — Krise der Tarifautonomie? Hrsg. von Wolfgang Ockenfels, Bonn 1987, S. 91 ff.

125 Oswald von Nell-Breuning: Art. Partnerschaft, in: Handwörterbuch der Sozialwissenschaften, Bd. VIII., Tübingen 1964, S. 217.

126 Elisabeth Langer: Kommunale Auftragsvergabe in Österreich, H. 1 der Schriftenreihe der Bundeswirtschaftskammer, Wien 1973, S. 60 ff.

127 Interview mit Landeshauptmann Dr. Wilfried Haslauer, abgedruckt bei Alfred Klose: Gemeindegröße als politisches Problem, H. 9 der Schriftenreihe der Bundeswirtschaftskammer, Wien 1984, S. 14 f.

128 Hartmut Weber: Theologie — Gesellschaft — Wirtschaft — Die Sozial- und Wirtschaftsethik in der evangelischen Theologie der Gegenwart, Göttingen 1970, S. 270 ff.

129 Gen.-Dir. Herbert Lewinsky in der TV-Sendung des ORF „Inlandsreport" am 17. 9. 1987.

130 Edgar Nawroth: Wirtschaftliche Sachgesetzlichkeit und Wirtschaftsethik, Essen 1986, S. 22 f.

131 Wolfgang Schmitz: Warum Wirtschaftsethik? In: Sonderheft Neue Ordnung, August 1986, Walberberg, S. 4 ff.

132 Ulrich K. Preuß: Politische Verantwortung und Bürgerloyalität, Frankfurt 1984, S. 284 ff.

133 Hans Weiß: Die Industriegesellschaft von heute als politische Herausforde-

rung, in: Gesellschaftspol. Korrespondenz H. 7 des BKU, Köln 1986, S. 6 f.

134 Leo Gabriel: Mensch und Welt in der Entscheidung, Wien 1961, S. 89.

135 Lutz von Rosenstiel: Herausforderungen annehmen, in: Die Presse, Eco-Journal, 18. 9. 1987, S. 2.

136 Fritz Windhager: Zur politischen Verantwortung und politischen Kultur in Österreich — eine Einführung, in: Politische Moral, hrsg. von Josef Höchtl und Fritz Windhager, Wien 1981, S. 16 f.

137 Otfried Höffe: Sittliche Grenzen psychologischer Forschung, in: Psychologische Grundlagenforschung: Ethik und Recht, hrsg. von Lenelies Kruse und Martin Kumpf, Bern u. a. 1981, S. 251 ff.

138 John Rawls: a. a. O., S. 24 ff.

139 Josef Marko: Art. Weltwirtschaftsordnung, in: Kath. Soziallexikon, s. Anm. 1, Sp. 3320 ff.

140 Johannes Messner: Ethik-Kompendium der Gesamtethik, Innsbruck u. a. 1955, S. 103 ff.

141 Helmut Juros: Art. Ethik, in: Kath. Soziallexikon, s. Anm. 1, Sp. 590 ff.

142 Johannes Messner: Ethik, s. Anm. 140, S. 4 ff.

143 Otfried Höffe: Art. Ethik, Ethos, in: Staatslexikon, 7. Aufl., Bd. 2, hrsg. von der Görres-Gesellschaft, Freiburg u. a. 1986, Sp. 404.

144 Otto Kimminich: Umweltschutz — Prüfstein der Rechtsstaatlichkeit, Linz 1987, S. 54 ff.

145 Otto Kimminich: Atomrecht — Nutzungsmöglichkeiten und Gefahren der Atomenergie, München 1974, S. 11 ff.

146 José Ortega y Gasset: Der Aufstand der Massen; weiters: Der Mensch und die Leute, beide Schriften zitiert nach: Gesammelte Werke in 6 Bänden, Stuttgart 1978, Bd. III, S. 97 sowie Bd. IV, S. 19.

147 Karl Heinz Grenner: Wirtschaftsliberalismus und katholisches Denken, Köln 1967, S. 338 f.

148 Franz-Xaver Kaufmann, Walter Kerber, Paul M. Zulehner: Ethos und Religion bei Führungskräften, München 1986, S. 108 f.

Literaturverzeichnis

Karl Abraham: Wirtschaftspädagogik, Heidelberg[2] 1966.

Hermann J. Abs: Macht und Verantwortung des Unternehmers, in: Was machen die Unternehmer, hrsg. von Ernst H. Plesser, Freiburg i. Br. 1974.

Clemens August Andreae: Art. Unternehmer, in: Kath. Soziallexikon (s. Klose).

Helmut Beran: Neue Technologien als Strategien des Überlebens, in: Aspekte, Argumente, Perspektiven, hrsg. von Josef Höchtl, Wien 1980.

Erich Bodzenta: Art. Sozialer Wandel, in: Kath. Soziallexikon (s. Klose).

Doris Böggemann: Jugendfreizeit und Jugendarbeit in der Krise, Paderborn 1985.

Erhard Busek, Christian Festa, Inge Görner: Auf dem Weg zur qualitativen Marktwirtschaft, Wien 1975.

Walther Busse v. Coller, Manfred Perlitz: Art. Unternehmenspolitik, in: Handwörterbuch der Wirtschaftswissenschaften, Bd. 8, Stuttgart 1980.

Walter Eberle, Winfried Schlaffke: Gesellschaftskritik von A bis Z, Freiburg i. Br. 1973.

Gerhard Fels, Winfried Schlaffke (Hrsg.): Kirche und Unternehmen in Verantwortung für die Probleme unserer Zeit, Köln 1984.

Werner Fuchs (Hrsg. u. a.): Lexikon zur Soziologie, 2 Bde., Reinbek bei Hamburg 1975.

Franz Furger, Cornelia Strobel-Nepple: Menschenrechte und katholische Soziallehre, Fribourg 1985.

Franz Furger: Art. Pragmatismus, in: Kath. Soziallexikon (s. Klose).

Friedrich Fürstenberg: Sozialkulturelle Aspekte der Sozialpartnerschaft, in: Sozialpartnerschaft in der Krise, hrsg. von Peter Gerlich u. a., Wien 1985.

Leo Gabriel: Mensch und Welt in der Entscheidung, Wien 1961.

Peter Gerlich (Hrsg.): Sozialpartnerschaft in der Krise, Wien 1985.

Karl Heinz Grenner: Wirtschaftsliberalismus und katholisches Denken, Köln 1967.

Wolfgang Hefermehl: Einführung in Wettbewerbsrecht und Kartellrecht, München[4] 1971.

Klaus Heilmann: Technischer Fortschritt und Risiko, in: Kirche und Unternehmen in Verantwortung für die Probleme unserer Zeit, hrsg. von Gerhard Fels u. a., Köln 1984.

Josef Höchtl (Hrsg.): Aspekte, Argumente, Alternativen, Wien 1980.

Otfried Höffe: Art. Ethik, Ethos, in: Staatslexikon, Bd. 2, Freiburg[7] 1986.

Otfried Höffe: Ethik und Politik, Frankfurt[2] 1984.

Karl Hörmann: Lexikon der christlichen Moral, Innsbruck u. a. 1976.

Alfred Jäger: Sozialethik als Schwerpunkt theologischer Ethik, in: Gerechtigkeit, hrsg. von Armin Wildermuth u. a., Tübingen 1981.

Helmut Juros: Art. Situationsethik, in: Kath. Soziallexikon (s. Klose).

Norbert Kailer: Handbuch für die Bildungsarbeit in Klein- und Mittelbetrieben, Wien 1987.

Wilhelm F. Kasch (Hrsg.): Geld und Glaube, Paderborn 1979.

Franz-Xaver Kaufmann, Walter Kerber, Paul M. Zulehner: Ethos und Religion bei Führungskräften, München 1986.

Otto Kimminich: Atomrecht — Nutzungsmöglichkeiten und Gefahren der Atomenergie, München 1974.

Otto Kimminich: Macht — Recht — Ethos, München 1982.

Otto Kimminich: Umweltschutz — Prüfstein der Rechtsstaatlichkeit, Linz 1987.

Alfred Klose: Ein Weg zur Sozialpartnerschaft, Wien 1970.

Alfred Klose: Kommunalpolitik als Gesellschaftspolitik, Wien 1975.

Alfred Klose: Die Kath. Soziallehre, Graz u. a. 1979.

Alfred Klose: Gewissen in der Politik, Graz u. a. 1982.

Alfred Klose: Gemeindegröße als politisches Problem, Wien 1984.

Alfred Klose: Machtstrukturen in Österreich, Wien 1987.

Alfred Klose, Wolfgang Mantl, Valentin Zsifkovits (Hrsg.): Kath. Soziallexikon, Graz² 1980.

Joachim Kondziela: Art. Solidaritätsprinzip, in: Kath. Soziallexikon (s. Klose).

Ferdinand Kopp: Die Sozialpartnerschaft als Element der modernen rechtsstaatlichen Demokratie, in: Phänomen Sozialpartnerschaft, hrsg. von Gerald Schöpfer, Wien u. a. 1980.

Karl Korinek: Wirtschaftliche Selbstverwaltung, Wien u. a. 1970.

Rolf Kramer: Sozialethische Grundlagen der Ordnungspolitik, in: Marktwirtschaft und Gesellschaftsordnung, Festschrift für Wolfgang Schmitz, hrsg. von Alfred Klose und Gerhard Merk, Berlin 1983.

Rolf Kramer: Arbeit, Göttingen 1982.

Wolfgang Kramer, Michael Spangenberger (Hrsg.): Gemeinsam für die Zukunft, Köln 1984.

Thomas Lachs: Wirtschaftspartnerschaft in Österreich, Wien 1976.

Michael Landmann: Ökologische und anthropologische Verantwortung — eine neue Dimension der Ethik, in: Armin Wildermuth, Alfred Jäger: Gerechtigkeit, Tübingen 1983.

Elisabeth Langer: Kommunale Auftragsvergabe in Österreich, Wien 1973.

Andreas Laun: Die naturrechtliche Begründung der Ethik in der neueren katholischen Moraltheologie, Wien 1973.

Andreas Laun: Das Gewissen — oberste Norm sittlichen Handelns, Innsbruck 1984.

Heribert Lehenhofer: Wirtschaftsethik — Das Gewissen in der Wirtschaftspolitik, in: Wirtschaftsethik, hrsg. von Alfred Klose, Wien 1984.

Heribert Lehenhofer: Friede und Umweltpolitik, in: Friede und Gesellschaftsordnung, hrsg. von Alfred Klose u. a., Wien 1988.

Elisabeth Liefmann-Keil: Die Koordination von Leistungs- und Bedarfsprinzip im System der sozialen Sicherheit, in: Leistungsgesellschaft und Mitmenschlichkeit, hrsg. von Gerard Gäfgen, Limburg 1972.

Peter Christian Lutz: DDR-Handbuch, Köln[2] 1979.

Wolfgang Mantl (Hrsg.): Kath. Soziallexikon (s. Klose).

Bernd Marin (Hrsg.): Wachstumskrisen in Österreich? Bd. 2, Wien 1979.

Bernd Marin: Die Paritätische Kommission — Aufgeklärter Technokorporatismus in Österreich, Wien 1982.

Josef Marko: Art. Weltwirtschaftsordnung, in: Kath. Soziallexikon (s. Klose).

Ulrich Matz: Aporien individualistischer Gemeinwohlkonzepte, in: Selbstinteresse und Gemeinwohl, hrsg. von Anton Rauscher, Berlin 1985.

Friedrich Mayer, Alfred Klose (Hrsg.): Qualitätspolitik — ihre Möglichkeiten und Grenzen, Wien 1983.

Gerhard Merk: Programmierte Einführung in die Volkswirtschaftslehre, Bd. 2, Wiesbaden 1974.

Gerhard Merk: Ausgewählte Aufsätze zur Wirtschaftstheorie, Zürich 1986.

Gerhard Merk: Ursatz, Leitsätze und Erfahrung in der Ethik, in: Erfahrungsbezogene Ethik, Festschrift für Johannes Messner, hrsg. von Valentin Zsifkovits und Rudolf Weiler, Berlin 1981.

Gerhard Merk: Jung-Stilling-Lexikon Wirtschaft, Berlin 1987.

Johannes Messner: Die soziale Frage, Innsbruck u. a.[7] 1964.

Johannes Messner: Das Naturrecht, Innsbruck u. a.[5] 1966.

Johannes Messner: Der Eigenunternehmer in Wirtschafts- und Gesellschaftspolitik, Heidelberg 1964.

Johannes Messner: Ethik-Kompendium der Gesamtethik, Innsbruck u. a. 1955.

Johannes Messner: Der Funktionär, Innsbruck u. a. 1961.

Rudolf Messner: Die Wiederbelebung eigenständigen Lernens, in: Konstitution von Lerninhalten und eigenständiges Lernen, hrsg. von Klaus Heipcke, Kassel 1980.

Franz H. Mueller: Heinrich Pesch, sein Leben und seine Lehre, Köln 1980.

Gerhard Müller: Zukunftsaspekte des Arbeitskampfes, in: Krise der Gewerkschaften, hrsg. von Wolfgang Ockenfels, Bonn 1987.

J. Heinz Müller (Hrsg.): Wohlfahrtsökonomik und Gemeinwohl, Paderborn 1987.

Edgar Nawroth: Wirtschaftliche Sachgesetzlichkeit und Wirtschaftsethik, Essen 1986.

Oswald v. Nell-Breuning: Art. Partnerschaft, in: Handwörterbuch der Sozialwissenschaften, Bd. VIII., Tübingen 1964.

Oswald v. Nell-Breuning: Gerechtigkeit und Freiheit, Wien u. a. 1980.

Gilbert Norden: Einkommensgerechtigkeit, Wien 1985.

Wolfgang Ockenfels (Hrsg.): Krise der Gewerkschaften — Krise der Tarifautonomie? Bonn 1987.

145

Josef Oelinger: Verbandspluralismus, politische Willensbildung und Gemeinwohl, Köln 1979.

José Ortega y Gasset: Der Aufstand der Massen, in: Gesammelte Werke, Stuttgart 1978 ff.

Hilarion Petzold, Klaus Reinhold: Humanistische Psychologie, in: Menschenerweckende Erwachsenenbildung, Red.: Karl Garnitschnig, Wien 1983.

Ernst H. Plesser (Hrsg.): Was machen die Unternehmer, Freiburg i. Br. 1974.

Karl R. Popper: Die offene Gesellschaft und ihre Feinde, München[4] 1975.

Ulrich K. Preuß: Politiche Verantwortung und Bürgerloyalität, Frankfurt 1984.

Anton Rauscher (Hrsg.): Selbstinteresse und Gemeinwohl, Berlin 1985.

Anton Rauscher: Wissen und Gewissen als Grundlage von Entscheidungen, in: Menschen im Entscheidungsprozeß, Festschrift für Johannes Messner, hrsg. von Alfred Klose und Rudolf Weiler, Wien 1971.

John Rawls: Eine Theorie der Gerechtigkeit, Frankfurt 1975.

Arthur Rich: Wirtschaftsethik, Gütersloh[2] 1985.

Arthur Rich: Grundlagen der Sozialethik, in: Gerechtigkeit, hrsg. von Armin Wildermuth und Alfred Jäger, Tübingen 1981.

Erwin Ringel: Die österreichische Seele, Wien 1984.

Hans Ruh: Gerechtigkeitstheorien, in: Gerechtigkeit, hrsg. von Armin Wildermuth und Alfred Jäger, Tübingen 1981.

Winfried Schlaffke, Gerhard Fels (Hrsg.): Kirche und Unternehmen in Verantwortung für die Probleme unserer Zeit, Köln 1984.

Winfried Schlaffke, Walter Eberle: Gesellschaftskritik von A bis Z, Freiburg i. Br. 1973.

Wolfgang Schmitz: Warum Wirtschaftsethik, in: Die Neue Ordnung, Walberberg 1986, und Herausgabe des Gesprächs Wirtschaftsethik — Ausweg aus der Ordnungskrise in dieser Sondernummer.

Wolfgang Schmitz: Was macht den Markt sozial? Wien 1982.

Heinrich Schneider: Erfordernisse des Friedens, Wien 1982.

Gerald Schöpfer (Hrsg.): Phänomen Sozialpartnerschaft, Wien u. a. 1980.

Bruno Schüller: Art. Utilitarismus, in: Kath. Soziallexikon (s. Klose).

Aida Shukei: Öko-Technologie, in: Ost-West-Symposion Umwelttechnologie, Wien 1987.

Michael Spangenberger, Wolfgang Kramer: Gemeinsam für die Zukunft — Kirchen und Wirtschaft im Gespräch, Köln 1984.

Josef Stingl: Das Recht auf Arbeit, in: Gemeinsam für die Zukunft (s. Spangenberger).

Monika Streissler: Art. Konsum, in: Kath. Soziallexikon (s. Klose).

Theodor Strohm: Wirtschaft und Ethik, in: Gemeinsam für die Zukunft (s. Spangenberger).

Jozef Tischner: Ethik der Solidarität, Graz u. a. 1982.

Egon Tuchtfeldt: Der Gerechtigkeitsbegriff im Wandel, in: Wirtschaftsethik, Walberberg 1986.

Hans Joachim Türk: Die Rettung der Gesellschaft aus dem Wertchaos in christlicher Sicht, in: Die offene Gesellschaft und ihre Ideologien, hrsg. von Arthur Fridolin Utz, Bonn 1986.

Arthur Fridolin Utz (Hrsg.): Die offene Gesellschaft und ihre Ideologien, Bonn 1986.

Arthur Fridolin Utz: Sozialethik, III. Bd., Die soziale Ordnung, Bonn 1986.

Arthur Fridolin Utz, J. Groner: Aufbau und Entfaltung des gesellschaftlichen Lebens. Soziale Summe Pius XII., 3 Bde., Fribourg 1954—61.

Hartmut Weber: Theologie — Gesellschaft — Wirtschaft: Die Sozial- und Wirtschaftsethik in der evangelischen Theologie der Gegenwart, Göttingen 1970.

Wilhelm Weber: Der Unternehmer — eine umstrittene Sozialgestalt, Köln 1973.

Rudolf Weiler: Internationale Ethik, 1. Bd., Berlin 1986.

Rudolf Weiler, Alfred Klose (Hrsg.): Menschen im Entscheidungsprozeß, Wien 1971.

Fritz Windhager, Josef Höchtl (Hrsg.): Politische Moral, Wien 1981.

Valentin Zsifkovits (Hrsg): Kath. Soziallexikon (s. Klose).

Valentin Zsifkovits: Ethik des Friedens, Linz 1987.

Valentin Zsifkovits: Der Friede als Wert, München 1973.

Sachregister

Abgeordnete 113 f
Alternative 73
Altruismus 26, 111
Arbeiterkammer 106
Arbeitnehmer 79 ff
Arbeitskampf 111
Arbeitslosigkeit 14, 19, 81, 121, 127
Arbeitsordnung 86 ff
Ästhetik 18
Ausgleich 48, 55

Bedarfsprinzip 80 f
Beirat für Wirtschafts- und Sozialfragen 49 f, 65, 106
Berufsausbildung 89 ff
Berufsethos 39 ff
Berufsprestige 41
Beteiligungssysteme 87 f
Betrieb 79 ff, 89 ff
Betriebstreue 83
Bildungskonzepte 94
Bildungsprobleme 38, 74, 89 ff, 125 f
Bundeskammer der gewerblichen Wirtschaft 105 f
Bürokratie 43, 60, 116

Club of Rome 75

Demokratie 110, 113 ff, 119 f, 133
Dirigismus 109, 120, 126
Distributive Gerechtigkeit 85
Dynamischer Unternehmer 17 f, 23, 34

Eigeninitiative 22 ff, 32 f, 48, 128
Eigenkapital 49, 55
Eigentum 21 ff, 78
Eigenunternehmer 21 f, 35, 132
Eigenverantwortung 16, 88, 122, 128, 130
Einkommensteuer 55
Energieversorgung 72, 131
Entscheidungshilfen 124 ff
Entscheidungssituationen 35 ff, 130 ff
Entwicklungshilfe 124 ff
Erwachsenenbildung 89 ff
Ethik 70 f, 73, 116, 128 ff
Existenzsicherung 14, 39 f, 54 ff, 58 ff
Export 58, 126 f

Fairneß 62 ff, 99, 132
Familienlastenausgleich 84
Fangwerbung 63
Forschung 67 f
Freiheit 12, 21 ff, 29 ff, 110, 119, 122, 134
Friede 47 ff, 74 f, 83, 107 f, 133
Frühkapitalismus 20
Funktionär 101 ff, 111 f
Fusion 60 f

Geldwertstabilität 22, 104
Gemeinde 114 ff
Gemeinwohl 27, 33, 66, 69
Gerechtigkeit 80 ff, 85, 107, 117 f, 124
Gewerbegesetzgebung 13, 23, 109
Gewerbesteuer 55
Gewerkschaften 31, 49, 101 ff, 105 ff
Gewerkschaftsstaat 111
Gewinnmaximierung 37, 56
Gewinnprinzip 14, 56
Gewissen 15, 65, 70, 76, 104, 110, 112, 120, 129 f
Gigantomanie 43
Gleichheit 85
Goldene Regel 132
Grundsatzprogramm (Handelskammerorganisation) 12, 20, 67 f, 89, 110
Gruppeninteressen 102, 104
Gütezeichen 98

Handelskammer 12, 20, 63, 67 f, 89 f, 102, 105 f, 110
Handwerk 89 f, 96

Idealismus 122
Individualethik 29 f, 128
Inflation 108
Innovation 67, 131
Interessenverbände 49, 101 ff, 105 ff, 123 f
Interventionismus 109, 120, 126
Intuition 35
Investition 36, 55, 60, 67, 77 f, 126

Joint ventures 125
Jugendarbeitslosigkeit 81 f

Kammerstaat 111
Kapitalismus 51
Kartelle 60, 126
Kernenergie 72, 131
Kommunalpolitik 114 ff
Kommutative Gerechtigkeit 82
Kompromiß 49, 58, 102, 107 f, 124
Konflikt 74, 80 ff, 108, 111
Konkurs 48
Konsensdemokratie 108
Konsumethik 96 ff
Konzentration 59 f
Konzern 118, 125
Kreativität 36, 57, 66 ff, 131, 134
Kulturpolitik 89 ff, 134

Laborem exercens 51 f, 87
Ladenschluß 64 f
Landwirtschaftskammer 106
Lebenssinn 39
Lehrlingsausbildung 89 ff
Leistungsprinzip 56, 63, 80 f, 84, 121
Liberalismus 29 ff, 129
Lohn 82, 104, 107 f

Macht 108 ff, 124, 133
Manager 35, 37 f, 114, 132
Marktwirtschaft 12, 19 f, 23 f, 60 f, 97, 110, 126 f, 131
-qualitative 99 f
Marxismus 57
Mater et magistra 78, 83, 88
Menschenwürde 79, 97
Minderheiten 123 f
Mißtrauensantrag 123
Mitarbeiter 79 ff, 132
Mitbestimmung 78 ff, 86 ff
Mittelstand 20 f, 48, 59, 132
Mobilität 48, 54 f, 58
Monopol 40
Moral 128 ff (s. Ethik)
Multinationale Unternehmen 125 ff

Nahversorgung 60, 63 f
Neoliberalismus 30
Neue Ethik 69 ff, 131
Neue Linke 121
Normenwesen 98
Nutzenmaximierung 26 f, 36

Oberwerte 45
Öffentliche Aufträge 103, 115
Öffentlichkeitsarbeit 74
Offene Gesellschaft 44 f, 130, 134
Ordnung 50 f (s. auch Wirtschaftsordnung, Politische Ordnung)

Pädagogik 92 f
Paritätische Preis-Lohn-Kommission 49
Parlament 120 ff
Parteien, politische 49, 73, 101, 113 ff
Partnerschaft 85 ff, 111
Person 79, 88, 110
Personalität 32
Persönlichkeitsethik 128
Pionierunternehmer 34, 71
Planwirtschaft 42, 58, 97
Politik 113 ff, 133
Politische Ethik 118 ff, 120, 128
Politische Kultur 134
Politische Ordnung 42 ff, 113 ff
Pragmatismus 27 ff, 129
Privateigentum 21 f, 78, 132
Produktivität 33
Profitdenken 57

Quadragesimo anno 87
Qualitative Marktwirt-schaft 99 f
Qualitätspolitik 97 f

Raab-Kamitz-Kurs 19
Rationalität 35, 118 f, 121
Raumplanung 114
Recycling 76
Risiko 12, 29, 109
Rerum novarum 83
Rollenkonflikte 102

Sachzwänge 34 f, 118 ff, 130
Schleyer-Stiftung 23
Schule 89 f
Schwellenländer 11
Selbstverwirklichung 79, 128
Sinnfragen 134 f
Situationsethik 28, 129

Solidarismus 51 f
Solidarität 26, 50 ff, 107 f, 131
Sonnenenergie 72
Sozialenzykliken 78, 83 f, 87
Soziale Gerechtigkeit 83 ff
Soziale Marktwirt-schaft 19 f, 23 f, 60 f, 97
Sozialer Friede 47 ff, 83
Sozialer Wandel 47 f
Sozialethik 29, 53 f, 128 ff
Sozialleistungen 83 ff
Sozialpartnerschaft 47 ff, 86, 106 ff, 111
Sozialpolitik 13, 85
Sozialutilitarismus 26 f
Sozialzweck 33
Stabilität 45 ff, 50, 109, 116
Standesmoral 17 f
Steuerpolitik 13, 49, 55, 58
Streik 111
Subsidiarität 32, 42 ff, 110 ff, 130
Systemstabilität 46

Tarifautonomie 83
Tauschgerechtigkeit 82
Technik 33, 68, 71, 117, 121
Teleologie 25, 129
Totalitäre Systeme 44 f

Umwelt 22, 69 ff, 117, 131, 134
Unternehmen 54 ff, 79 ff, 132
Unternehmer 11 f, 39 f, 62 ff, 101 ff, 113 ff, 131 f
Unternehmerethik (Be-griff) 18, 51 ff, 116 f, 128 ff
Unternehmerfunktion 11 ff
Unternehmerinitia-tive 22 ff, 32 f, 43 f
Unternehmernach-wuchs 37 f, 109
Unternehmerverbände 48, 51, 101 ff, 105 ff, 120, 133 (s. auch Handelskammer)
Utilitarismus 25 ff, 40, 67, 129

Verantwortungsethik 129, 131, 134
Verbände 101 ff, 110 ff
Verbändedemokratie 101 ff
Verbandsfunktionäre 101 ff
Verstaatlichung 67, 134

Vollbeschäftigung 22, 83, 125

Waffengeschäft 65 f, 122
Wahrheitsgebot 63
Wertewandel 121 ff
Wettbewerb 11, 13 f, 19 f, 23, 30, 40, 42, 48, 60, 62 ff, 97, 121, 128, 132
Wirtschaftsethik 22 ff, 32, 53 ff, 118 f, 129
Wirtschaftskommission 49
Wirtschaftsordnung 19 ff, 22 ff, 96, 131, 134 f
Wirtschafts-pädagogik 89 ff
Wirtschaftspolitik 77 ff, 109, 113 ff, 119
Wirtschaftsuniversität 38, 89
Wirtschaftswachstum 20, 22, 33, 75
Wohlstandsmaxi-mierung 40
Wohnumwelt 95

149

Valentin Zsifkovits
ETHIK DES FRIEDENS

224 Seiten, 13,5 x 20,5 cm,
broschiert

ISBN 3-85329-607-6

Zur Förderung und Sicherung des Friedens ist eine umfassende Strategie vonnöten. Wie einzelne Rädchen ineinandergreifen und so eine einheitliche Wirkung erreichen, müssen die einzelnen Schritte dieser Strategie zum Gelingen des Ganzen beitragen. Dabei hat eine diesem Ziel verpflichtete Ethik darauf zu achten, die hohen Ziele, die Schritte zu diesem Ziel und die konkreten Bedingungen zur Deckung zu bringen.

Otto Kimminich
UMWELTSCHUTZ —
PRÜFSTEIN DER
RECHTSSTAATLICHKEIT

210 Seiten, 13,5 x 20,5 cm,
broschiert

ISBN 3-85329-608-4

Das vorliegende Buch macht die Grundfragen des
Umweltschutzes allgemein verständlich. Der Autor
führt eine offene Sprache; Versäumnisse werden nicht
verschwiegen. Immer wieder wird deutlich, wieviel der
einzelne, trotz seiner scheinbaren Ohnmacht, in der
Massengesellschaft tun kann und wie sehr er dazu verpflichtet ist.

Die Reihe: „Soziale Perspektiven"

Herausgeber:
Valentin Zsifkovits, Otto Kimminich, Alfred Klose

Band 1: Valentin Zsifkovits,
„Ethik des Friedens".
Erschienen August 1987

Band 2: Otto Kimminich,
„Umweltschutz — Prüfstein der
Rechtsstaatlichkeit".
Erschienen September 1987

Band 3: Alfred Klose,
„Unternehmerethik—heute gefragt?".
Erschienen März 1988

In Vorbereitung:

Band 4: Leopold Neuhold,
„Wertwandel und Christentum".
Erscheinungstermin: Herbst 1988

Band 5: Gerhard Kleinhenz,
„Sozialstaat — historischer Irrtum oder
Ordnungsmodell mit Zukunft?".
Erscheinungstermin: Frühjahr 1989

Band 6: Karl Lenz,
„Jugendliche heute: Lebenslagen,
Lebensbewältigung und Lebenspläne".
Erscheinungstermin: Frühjahr 1989

Band 7: Robert Hettlage,
„Familie — Lebensmodell im Umbruch".
Erscheinungstermin: Herbst 1989

Band 8: Liselotte Wilk,
„Die Stellung der Frau in der Gesellschaft".
Erscheinungstermin: Frühjahr 1990

Band 9: Lothar Roos,
„Arbeit und Muße".
Erscheinungstermin: Herbst 1990